브로커

완성대본

2021년 4월 8일 버전

|각본/감독| 고레에다 히로카즈

차례

「自分は生まれて来てよかったのだろうか。」

今回の映画作りの途中で、出会ったこどもたちのこの言葉がずっと僕の頭の中で響いていました。

赤ちゃんポストや施設に預けられ、実父実母の顔を知らずに育ったこども達が、自分の誕生に確信を持てないまま大人になっていく。

想像を越えるその辛さを前にした時に、

僕は今回のこの「ブローカー」の中で、彼らの生を丸ごと肯定し、祝福したいと思いました。

映画のラストでウソンを周りに近く遠く集う人々の輪……

この本を読まれたあなたがその輪に加わって、登場人物達と一緒にウソンの未来について考えて頂けたら、こんなに嬉しいことはありません。

2022年8月24日
是枝裕和

나는 태어나길 잘한 걸까?

이번 영화 제작 과정에서 만난 아이들의 이 말이 계속 저의 머릿속에서 울리고 있었습니다.

베이비박스나 보육원에 맡겨져 친부와 친모의 얼굴을 모른 채 자란 아이들은
자신의 탄생에 확신을 갖지 못한 채 어른이 되어갑니다.

상상을 뛰어넘는 그 고통을 마주하고,
저는 <브로커> 안에서 그들의 생을 통째로 긍정하고 축복하고 싶다고 생각했습니다.

영화 마지막에 우성이의 주위로 가깝고 먼 곳에 모이는 사람들의 고리.
이 책을 읽으시는 당신께서 그 고리에 함께하여 등장인물들과 함께
우성이의 미래에 대해서 생각해주신다면 그토록 기쁜 일은 없을 것입니다.

2022년 8월 24일

고레에다 히로카즈

BROKER

일러두기

이 각본은 실제 촬영 현장에서 사용된 버전을 그대로 옮겨 실은 버전으로,
고레에다 히로카즈 감독의 연출 방식에 따라 현장에서 바뀌기도 하여
완성된 영화와는 일부 다른 내용이 있을 수 있습니다.

블랙 화면에 세찬 빗소리. 음악 짧게 IN.

- 타이틀 <Broker> -

전날 밤

#1. 베이비박스 시설, 밖, 심야, 비

쏟아지는 빗속, 한 여자(소영, 25세)가 아기를 안고 다가온다. 잠시 고민하더니 베이비박스 아래에 아기를 내려놓는 여자. 그리고는 그 자리를 떠난다.
그 모든 상황을 차 안에서 지켜보고 있던 수진(38세)과 부하인 이 형사(26세). 둘은 이 구역 여성청소년과 형사다.

이 형사　어떡하죠? (아기 얘기다.)
수진　……
이 형사　저대로 두면 아무도 모를 거예요.
수진　버릴 거면 낳지를 말든가.

두 사람은 거의 동시에 차에서 내린다.

수진　여자는 니가 맡아.

이 형사는 여자를 쫓아간다.
수진은 베이비박스로 다가가서 아기를 안아 올린다.

수진　……

아기가 울기 시작한다. 수진은 당황해서 베이비박스의 문을 열어 아기를 박스 안 침대에 눕힌 후, 뛰박질로 차로 돌아간다.
시설(베이비박스 운영시설) 안에서는 버저 음이 울리고 있다.
숨을 죽이고 입구를 응시하는 수진. 자동차 와이퍼를 두 번 작동시킨 후 멈춘다.

수진　……

수진, 젖은 머리를 수건으로 닦는다.

#2. 베이비박스 시설, 안

직원 유니폼 차림의 동수가 아기를 안고 어르고 있다.
목사 차림의 남자 상현은 창문으로 밖을 내다본다.

동수 있어?
상현 (고개를 가로젓는다.)
동수 도망갔나...
상현 그런가 봐.

상현은 가운을 벗는다.

상현 자 그럼 비디오를...

동수는, 비디오를 조작해서 아기가 베이비박스에 들어오는 화면을 삭제한다.
상현은 아기 포대기에 함께 들어있던 메모를 발견한다. 메모를 펼쳐 내용을 읽는 상현.

상현 '우성아, 미안해. 꼭 다시 데리러 올게.'
동수 또 시작이네... 그놈의 다시 데리러 올게.
상현 연락처는 없고...
동수 그럴 생각이 전혀 없구만.
상현 우성아... 우리랑 행복해지자꾸나~

#3, #4, #5, #6, #7 결번

음악 IN하며 -

#8. 베이비박스 시설, 뒤쪽, 동트기 전

비가 계속 내리고 있다. 시설 안에서 상현이 상자를 끌어안고 나온다.
차에 올라타고는 출발하는 상현.
상현을 배웅하는 동수.
수진, 상현을 뒤쫓는다.

#9. 길거리

동트기 전. 부산의 거리를 2대의 차가 달리고 있다.
교회가 서 있는 언덕배기에서 차가 언덕을 내려간다. (몇 컷 이어지며)

#10. 세탁소, 밖

차는 낡은 세탁소 앞에서 멈춘다.
상현은 다시 상자를 들고, 주위를 신경 쓰며 가게 안으로 사라진다.
수진의 차가 조금 떨어진 곳에 정차한다.

- 음악 OUT -

첫째 날

#10A. 길, 아침

걸어가는 소영.
그 뒤를 쫓는 이 형사.

#11. 전철, 아침

출근 시간.
전철 안에 타고 있는 소영과 이 형사.
그러다 갑자기 전철에서 내리는 소영.

#12. 버스터미널 (부산 서부)

장거리 버스 시간표를 올려다보고 있는 소영.
아기의 울음소리가 들린다.
인파에 뒤섞여 사라지는 소영.
이 형사, 당황해서 쫓아가지만 놓쳐버리고 만다.

#13. 버스터미널 (부산 서부), 화장실

방금 젖을 짜서 내버린 변기를 바라보고 있는 소영.
하얀 액체가 물속으로 번지며 흘러내려 간다.

소영 ......

젖은 상의를 벗고 옷을 갈아입는 소영.
거울에 비친 자신의 얼굴을 똑바로 바라보는 소영.

#14. 거리, 공중전화

전화를 걸고 있는 소영. 그러다 표정이 변한다.
공중전화 박스에서 나와서 망연히 서 있는 소영.

#15. 세탁소, 밖, 오전 시간

재봉틀을 규칙적으로 밟는 소리가 가게 밖으로 흘러나온다.

#16. 세탁소, 가게 안, 오전 시간

실을 골라, 능숙한 손끝으로 바늘에 꿰는 상현.
재봉틀을 밟으며 바지에 안감을 댄다.

* * * *

가게 밖에서 세탁물을 널고 있는 상현.
지나가다 가게 앞에서 쉬고 있던 할머니와 날씨 얘기를 하며 하늘을 올려다보는 상현.

#17. 수진의 차

수진은 차 창문을 조금 내려서, 상현과 할머니의 대화를 듣는다.

#18. 베이비박스 시설, 응접실, 낮

베이비박스 운영시설에 와 있는 소영.
그 앞에서 직원들, 곤혹스러운 낯빛.

직원1　아까 전화 주신 분이시죠?
소영　(끄덕이며) 무사한지 어떤지만 알고 싶어서요...
직원1　(서류를 확인하며) 기록에는 아무것도 안 적혀 있는데...
소영　(그럴 리가...)
직원1　(옆에 있던 직원2에게) 목사님 좀 불러줘.
그리고 수경이 목욕, 대신 부탁해도 될까?
직원2　알겠습니다.

동수가 분유통을 들고 들어온다.

직원1　어제 당직, 동수 씨였지?
동수　네... 월요일은 항상 제가...
직원1　지금 있는 아기들, 이분께 좀 보여 드려.
동수　...무슨 일인데요?

#19. 베이비박스 시설, 복도~육아실

동수가 안내한다. 그 뒤를 따라가는 소영.
놀이방에서 나오던 정애(4세)가 소영의 옷을 잡아당긴다.

정애 엄마 알아? 우리 엄마…
소영 ……
동수 정애야, 저기 가 있어. 이제 곧 밥 먹을 시간이잖아.
오늘은 니가 좋아하는 비빔밥이야.
정애 유진이는 이제 없는데….

여자아이는 소영의 옷을 놓지 않는다.

정애 누구 엄마야?… 지민이 엄마야?

소영, 아이가 옷을 잡고 있는 게 신경 쓰인다.

소영 우성이…

아기 침대에 나란히 누워있는 아기들.
분유 먹는 아기, 기저귀를 갈고 있는 아기, 직원에게 안겨 웃고 있는 아기…

동수 얘는 지난주에 들어온 앤데… 엄마가 아직 15살이었고…
얘 엄마는 파키스탄. 아마 본인이 베이비시터라…
소영 이게 끝?
동수 …그렇죠, 지금은.
소영 ……
동수 편지 같은 건요? 혹시 같이 넣어 주셨어요?
소영 네…
동수 성함이랑 연락처는요? 그것도 쓰셨나?
소영 (고개를 흔든다.)
동수 그럼 혹시 아기가 있다 해도, 그쪽이 엄마라는 증거는 없는 거네요…
목사 무슨 일이지?

진짜 목사가 방으로 들어온다.
정애가 목사에게 얘기한다.

정애 아기 찾고 있대. 우성이래.
동수 이분이 어제 베이비박스 밖에 아기를 뒀다고 하셔서…

목사　　박스 안에 넣어주셨으면, 우리 직원이 바로 밖에 나가서 어머님과 얘기를…
동수　　저도 그렇게 말씀드렸습니다.

#20. 세탁소, 옥상, 낮

우성을 안은 채 기저귀를 널고 있는 상현.
동수의 전화를 받고 있다.

상현　　애 엄마가?
동수　　응. 본인은 그렇게 말하긴 하는데.
상현　　뭐 이상해?
동수　　밖에 뒀대. 박스 밖에.
상현　　착각한 거 아냐? 정신없어서.

#21. 베이비박스 시설, 예배당

불이 꺼진 예배당에 혼자 앉아있는 동수.

동수　　그렇겠지? 취했거나…
상현　　혹시 경찰에 찾아갈 것 같으면 이쪽으로 데려와.
동수　　알았어. 그렇게 할게.

#22. 베이비박스 시설, 밖

밖으로 나오는 소영. 걸어간다.
숨어서 따라가는 동수.

#23. 공중전화 박스

고민한 끝에 전화를 거는 소영.
112 버튼을 누른다.

동수　　(소영의 전화를 끊으며) 만나게 해 줄게요… 우성이랑.
소영　　……

#24. 수진의 차, 해 질 녘

상현이 빨래를 걷어서 가게 안으로 들고 들어간다.
건물 으슥한 곳에 세워둔 차 안에서는, 수진과 이 형사가 어묵을 먹고 있다.
쓰레기는 뒷좌석에 아무렇게나 던진다.

이 형사 그나저나 베이비박스를 인신매매에 이용하다니 대담하네요.

수진 그런 박스 따위 만드니까 무책임한 엄마들이 생기는 거야…

이 형사 그 아기는 남자애였어요?, 여자애였어요?

수진 (모른다.) 어둡기도 했고… 너무 순간이라서…

이 형사 몇 개월 정도였어요?

수진 (모른다.) 가벼웠어…

이 형사 근데, 팀장님도 은근 착한 면이 있네요.

수진 왜?

이 형사 그대로 놔뒀으면 죽었을걸요.

수진 나 착해… 몰랐어?

그때, 창문을 톡톡 두드리는 소리.
수진의 남편 선호(40세)다.
창문을 내리는 수진.

이 형사 안녕하세요.

선호 아, 수고 많으십니다.

이 형사 지난번에는 잘 먹었습니다. 슈바…

선호 슈바인학센이요?

이 형사 아, 네 그거. 다음 날 저 피부 완전 반들반들 좋았잖아요.

수진 뭐? 그냥 족발이야.

선호 또 언제든지 먹으러 와요. 다음에는 슈크르트 도전해 보려고요.

이 형사 그건 또 뭐예요? 너무 기대된다~

수진 그냥 수육이야. 밍밍한 거 있어.

쇼핑백을 건네는 남편.
수진, 쇼핑백 속을 확인한다.

선호 흰색은 지금 세탁소에 맡겼어. 대신 검은색으로 가져왔어, 좀 두꺼운 걸로.

수진 고마워… 그럼 잘 가.

무심히 창문을 닫는 수진. 자리를 뜨는 남편.

이 형사 아니, 저기… 아무리 그래도 최소한 차에서 내려서 인사는 하는 게…

수진 됐어. 어차피 하루 종일 집에만 있는데 뭐. 이것도 운동이야.

수진, 옷을 갈아입기 시작한다.

이 형사　결혼 상대자로는 저런 타입이 이상형인데.
수진　엥? 어딜 봐서? 너 가질래?
이 형사　왜냐면… 만약에 애가 생겨도, 집에서 일할 수 있으니 (하며 글 쓰는 흉내), 애도 챙길 수 있고, 또 요리도 프로급이고…
수진　칭찬이 과하네. 야 저기 (이 형사를 탁 치며, 손가락으로 밖을 가리킨다.)

동수가 소영을 데리고 가게로 들어가는 모습이 보인다.

#25. 세탁소, 안

상현　(침착한 어조로) 아닙니다. 유괴라뇨, 그 무슨 말을… 그치? (하며 동수를 본다.)

가게 불을 끄고 동수와 소영 쪽으로 향하는 상현.

동수　자기가 버려놓고 뭔 소리 하는 거야.
소영　버린 거 아니거든요. 맡긴 거지.
동수　우린 애견호텔 같은 곳이 아니야.
소영　데리러 오겠다고… 편지에 썼잖아.

동수와 상현이 서로 얼굴을 마주 본다.

상현　'데리러 온다'는 내용이 있으면… 교회가 입양리스트에서 빼버리거든요…
100프로 보육시설로 가는 거지… 그게 뭘 뜻하는지 아세요?
소영　(잠자코 듣고 있다.)
상현　그쪽은 사랑하는 마음으로 그랬겠지만… 그게 이 아이의 미래 가능성을 좁혀버린다는 겁니다…

우성이 칭얼거리자 상현이 호주머니에서 이상한 모양의 딸랑이를 꺼내서 달래준다.

상현　우리는 우성이를 그런 어두운 미래에서 구원시켜주고 싶은 겁니다.
보육원에서 고아로 크는 것보다, 따뜻한 가정에서 자라는 편이…

물이 끓는 소리가 나자,
상현, 일어나서 부엌 쪽으로 간다.

동수　　입양. 키워줄 부모를 찾는 거지.
상현　　그렇지. 벌써 입양 희망하는 부부도 몇 쌍 있고…
소영　　…그럴 권리 없잖아. 당신들한테.
동수　　그쪽도 없잖아. 버렸으니까.
소영　　훔친 주제에.
동수　　보호.
상현　　물론 우리한테 그럴 권리는 없습니다.
　　　　한마디로 말하면… 선의라고나 할까?
소영　　선의… 진짜 오랜만에 듣는 단어네.

상현, 차를 들고 돌아온다.

상현　　자식을 갖고 싶어도 갖지 못하는, 입양 심사를 기다릴 시간이 없는 부모의 품에… 말 못 할 사정으로 떼어놓게 된… 어머님… (성함이…?)
소영　　선아예요… 문선아. (하며 거짓말을 한다.)
상현　　선아 씨의 소중한 아기를 안겨주는 큐피드라고 생각하시면 됩니다. 우성이에게 최고의 양부모를 찾아줄 것을 약속드리겠습니다.
소영　　큐피드는 무슨… (쓴웃음)
상현　　뭐 호칭은 좀 그렇긴 하지만… 그럼 삼신… 아저씨…?
동수　　(작명 센스가 한심하다.)

소영, 경찰에 전화하려 한다.
그러자 상현이 당황해서 말리며,

상현　　아 그리고 케이스 바이 케이스이긴 한데, 사례금이 약간 나옵니다.
소영　　사례금…
상현　　얼마 정도더라?
동수　　시세로는 한 1000만 원 정도 되죠. 남자아이 경우에는.
소영　　누구한테? (하며 '돈'을 나타내는 제스처)
상현　　네, 선아 씨랑… 그리고 중개하는 우리랑…

소영, 피식 웃는다.

소영　　선의 좋아하시네. 그냥 브로커잖아.
상현　　뭐… 쉽게 말하면…

소영　　언젠데? 출발이.

상현과 동수, 얼굴을 마주 본다.

둘째 날

#26. 세탁소, 밖, 아침

동수가 차 안에 아기용 카시트를 설치하고 있다.
차 안에서 그 모습을 보고 있는 수진과 이 형사.
두 사람의 전과가 기록된 자료를 살펴보고 있다.

이 형사　세탁소는 할머니 때부터 하던 거네요.
수진　　3대째라… 뭘 하든 저긴 늦었어, 이젠.
이 형사　젊은 쪽은 보육원 출신이에요… 그럼 보통 아기 브로커 같은 건 차마 못 할 것 같은데…
수진　　여자도 같이 가나…?
이 형사　한패라는 말씀이세요?
수진　　아니면 여자도 팔아먹을 생각일 수도…

#27. 세탁소, 안, 아침

벨이 울리자, 안에서 상현이 나온다.

상현　　어서 오세요. 오늘은 임시휴업인데…

하다가 굳어버리는 상현.
누가 봐도 건달인 남자 2명이 서 있다.

남자2　이거, 빠질까 모르겠네…

상현이 셔츠를 받아서 보면, 가슴 쪽에 끈적한 피가 묻어 있다.

상현　　이건…
남자2　딱 봐도… 피잖아.
상현　　근데 피는 잘 안 빠져서…
남자1　잘 부탁드립니다. 이분이(남자2) 좀 심하게 때려서 말이죠.
상현　　해보겠습니다. 그리고 돈 얘깁니다만…
남자1　그건 이제 그만 포기하는 편이… 서로를 위해서도…
남자2　우리, 치킨집 내려고, 여기서.

남자2는 가게 안을 둘러보며 기둥을 만진다.
밖에서 들리는 우성의 울음소리. 신경 쓰이는 상현.

상현　　이자만이라도 다음 주까진 갚도록…
남자1　　(차 쪽을 보며) 비싸게 팔리면 좋을 텐데요…
남자2　　안 그럼… 당신 셔츠가 다른 세탁소에 가게 될 거야.
상현　　네…(하며 셔츠를 만진다.)
남자2　　밖에 있는 저 여자는 뭐야?
상현　　저긴 애 엄맙니다. 아기 친모.
남자2　　저 정도면 우리가 사 줄 수도 있는데.
상현　　그때 봐서 다시 연락드릴게요…
남자1　　그럼, 다음 주에 5000만 원. 그리고 그 셔츠 잘 부탁드립니다.

남자 2명, 가게에서 나간다.

상현　　살펴가세요…

상현, 셔츠를 다림판에 던진다.

#28. 세탁소, 앞, 아침

가게에서 나오는 상현.

동수　　누구야?
상현　　아무것도 아냐. 손님이야 손님. 컴플레인하러 왔더라고.

차 뒤쪽 문이 망가져서 닫히지 않는다.

동수　　이거 좀 고쳐.
상현　　다 요령이 있지. 이렇게 눌러서 왼쪽으로.

상현이 그렇게 하자, 차 문이 간단히 닫힌다.
소영은 사람들 눈에 띄지 않도록 길가에 앉아있다.

동수　　(소영을 보며) 난 반대야…
상현　　만약의 경우에 애 엄마가 옆에 있으면 의심도 덜 받고 좋지 뭐… 선아 씨~ 출발 출발~!
동수　　(소영을 보며) 저건 백 프로 돈이 목적이야. 심지어 5대 5라니. 웃기지 않아?

상현　　그렇지. 최소한 3등분은 해야지...
(내비게이션을 보며) 영덕까지 경부고속도로 타면 2시간 반.
딱 점심때쯤 경주 휴게소네. 거기서 좀 쉬고...

출발하는 세 사람.
소영은 누가 쫓아오고 있지 않은지 백미러로 확인하고 있다.
두 명의 남자들이 시야에 들어오자 몸을 숨기는 소영.

#29. 거리 (울산 주변)

해안을 따라 석유화학단지 옆을 달리는 두 대의 차량. (부감 포인트)

#29A. 수진의 차

수진　　저런 차로 그렇게 멀리까진 안 가겠지?
이 형사　　울산 아니면 가봤자 포항 아닐까요?
수진　　명심해. 반드시 현행범으로 체포해야 돼.
이 형사　　네... 빨리 샤워하고 옷 좀 갈아입고 싶다.

#30. 상현의 차

상현　　남편은 42이고 그 부인은 38... 큰 부자는 아니지만, 뭐 은행이 망할 일은 없으니까...
소영　　(말을 자르며) 좋아... 거기로 하지.
동수　　중고나라에 헌옷 팔듯이 할 수 있는 일이 아니야.

차가 흔들리자, 뒷문이 반쯤 열리고 만다.
동수는 익숙한 손놀림으로 문에 달린 끈을 앉은 채 당겨서 문을 닫는다.

상현　　선아 씨는... 고향이 어디?
소영　　(대답하지 않는다.)
상현　　나는 부산... 이 녀석은 자칭 서울...
소영　　자칭...?(하며 무시하듯 코웃음)
동수　　(욱하며) 그쪽은 어딘데?
소영　　여수.
동수　　아아~ 여수? 거기 아무것도 없지 않아? 곤돌라밖에.
소영　　케이블카.
상현　　서대회 맛있잖아. 갓김치도 맛있고. 응? 똥 쌌나?

차 안에 악취가 퍼진다.
소영, 모르는 척 창문을 내린다.

동수　(그런 소영에게 짜증을 느끼며)
옛날에... 그 왜 애 팔러 갔더니 남자 커플인 적 있었잖아.
상현　아 그래그래. 그랬지. 그게 여수였지.
동수　어떻게 살고 있을까...(세어보며) 벌써 초등학생이겠다... 그때 그 아기...

#31 결번 (29A로 이동)

#32. 영덕 거리

해안도로를 달리는 차.
다리를 건넌다.

#33. 길거리

대게가 들어있는 수조들이 늘어서 있는 거리를, 우성을 안은 채 걸어가는 상현과 동수.
소영은 조금 뒤처져서 두 사람을 따라간다.

#34. 영덕의 항구, 낮

하역 작업들이 끝나서 인기척 없는 작업장.
기다리고 있는 상현 일행.

동수　쓸데없는 말은 하지 마. 아까 가르쳐줬지?
소영　(바다를 바라보고 있다)
동수　협상은 우리 두 사람한테 맡겨.
상현　어디까지나 고객이 우선이고, 사 주시는 분들이라는 생각으로...

수진과 이 형사가 멀리서 그 모습을 지켜보고 있다.

동수　왔다. 저기.

부부가 다가온다.

상현　임창호 씨? 저는 그 부산에서...
임씨　아기 보여주시죠.
상현　아 네네... 지금 자고 있긴 합니다만...

부부는 상현에게 안겨 있는 우성의 얼굴을 들여다본다.
부부는 왠지 불만스러운 표정이다.

임씨 (상현에게) 몇 개월이죠?
상현 3개월 좀 지났습니다.
임씨 아내 2개월까지가 좋은데…
임씨 3개월 지나면 사람 얼굴을 인식하거든요. 각인 시기를 놓치게 되는 거라…
상현 아… 네에…
동수 뭐… 강아지랑은 다르죠…

임씨 아내가 남편의 귓전에 뭔가 속삭인다.
임씨가 우성의 머리카락을 만져본다.

임씨 뽀샵 했어요? 사진만큼 안 귀여운데. (아내에게) 그치?
임씨 아내 네… 눈썹도 숱이 좀 없는 것 같고…

소영, 화가 난다.

상현 깨워볼까요? 눈 뜨면 진짜 이런데 (상현, 본인 눈을 크게 뜬다.) 우성아… 우성아…?
임씨 400만 원으로 하죠.
상현 …어제는 1000이라고…
임씨 이래서야 400도 많지.

임씨 아내가 끄덕인다.

임씨 아내 할부로 해요.
임씨 12개월로.
상현 아니, 이런 건 또 처음이네…
동수 이제 와서 그런 조건 내미는 건 규칙 위반이죠.
임씨 아버지는 어떤 사람입니까?
상현 아버지요?
임씨 네. 이 아기 친부.
소영 그게 뭔 상관이에요?
임씨 아내 아니 뭐… 아무래도.
임씨 불륜? 설마 강간 같은 건 아니죠?
임씨 아내 범죄랑 연관 있으면 좀 그래서…
상현 아뇨, 이 사람은 병든 부친을 정성으로 간호하는 훌륭한 딸이고…

소영, 빠직한다.

소영　야, 이 대머리 새끼야.
임씨　대머리…
소영　자기들 얼굴은 생각도 안 하고, 눈썹이 없다느니 눈이 작다느니 뭐래는 거야? 이 미친놈이.
상현　저기 선아 씨…
임씨　이 사람 뭐야? 이렇게 무례하게.
소영　무례한 건 당신이지. 막말하면서 디스나 하고. 이딴 촌구석까지 일부러 와줬더니 뭐 400? 니들 같은 새끼들한테 절대 못 줘.

소영, 뒤돌아서 홀로 가버린다.
기둥 뒤에서 지켜보고 있는 수진과 이 형사.
서로 얼굴을 마주 본다.

#35. 길거리

대게 수조들이 늘어선 상점가를 지나서 차로 돌아가는 세 사람.
소영이 선두에서 걸어간다.
상현과 동수는 어이없는 표정으로 서로 얼굴을 마주 본다.

#36. 상현의 차

소영은 분이 풀리질 않는다.
상현과 동수는 어이없는 표정.
상점가 호객꾼들의 목소리가 울려 퍼진다.

상현　먹을까? 가게에서 다 쪄 주는데.
동수　…좀 심했어.
상현　(작은 소리로) 그렇지, 심했지.
소영　그건 내가 할 말이야.
동수　상대방은 고객이잖아. 흥정하는 거라고, 서로.
상현　그래. 나름 고객이지.
소영　고객 아니었으면 개 패듯이 패 버렸을 거야.
동수　원래 그렇게 해서 서로 타협점을 찾는 거야.
상현　그렇지. 그런 태도로는 될 일도 (안 되지).
소영　(말을 자르며) 일을 되게 하고 싶으면 좀 더 나은 구매자를 데려오라고.
상현　그것도 일리는 있네.
소영　400만 원에 12개월 할부? 장난해?

상현과 동수, 말문이 막힌다.

동수 어떡할까? 일단 부산으로 돌아가?
소영 ……
상현 글쎄… 그건, 좀… 그런데…
소영 다른 후보도 있는 거지?
상현 있지. 있습니다요, 여기저기.
소영 그럼 부산으로 돌아가지 말고 얼른 찾아.

#37. 도로

바다를 왼쪽으로 끼고 남쪽으로 달리는 2대의 차량.

#38. 보육시설 '해송원', 밖, 오후

언덕에 위치한 오래된 보육원.
차가 도착한다.
농구를 하며 놀고 있던 아이들을 향해 원장(48)이 미친 듯이 호루라기를 분다.

원장 반칙이야, 반칙! 트래블링이라고! 너 퇴장이야.
코트에서 나가!
거기 서서, 보고 있어.

동수 저긴 지금 원장… 3대째.
상현 (소영에게) 3대째 느낌 들지?

차에서 내리는 세 사람.
농구를 멈추고 동수 주위로 모여드는 아이들.

아이들1 형, 자고 갈 거야? 자고 가.

그 모습을 바라보는 소영과, 차에서 짐을 내리는 상현.

소영 아~ 저래서 여기 오고 싶었던 거구나.

동수가 능숙하게 드리블을 보여준다.
아이들이 공을 빼앗아보려 하지만 못 뺏는다.
축구공을 든 소년도 달려온다. 해진(8세)이다.

해진 나 리프팅 하는 거 봐~

의기양양하게 리프팅을 보여주는 해진.

동수 하나, 둘, 셋, 넷… (실패한다.) 하나, 둘, 셋, (실패한다.)

원장과 친근하게 인사를 나누는 동수.

원장 올 거면 연락하지.
동수 또 좀 줄었네요?
원장 요 반년 새 3명. 한 달에 450만 원이나 줄었어. 보조금이.
동수 아... (그런 의미였구나)
원장 차라리 양로원으로 변경하는 게 낫겠어.
동수 응? 지영이네. (손을 흔든다.)
원장 아~ 지난달부터 사무일 봐주고 있어. (상현을 보고는) 으응?
동수 마누라 새로 얻었더라구요.
원장 (소영을 보고) 와... 너무 어린데...
(한 아이에게) 야 이 멍청아, 거기 들어가지 말라고 했지. 꽃 안 보여?

동수는 아이들 손에 이끌려 농구를 시작한다.

#38A. 해송원, 원장실

동수는 아이들과 함께 논 탓에 땀투성이다.
원장 부인(52세)이 티셔츠를 가지고 원장실로 들어온다.

원장 부인 이거 입어. (냄새를 맡아보며) 깨끗하게 빨아 둔 거야.
동수 (받아들고) 감사합니다.
원장 부인 (창문을 열어) △△야, 그거 □□한테 빌려줘.
너 형이잖아... 해진이 너 이제 축구 그만해...
동수 별로 실력이 안 느네, 저 녀석.

동수가 티셔츠로 갈아입는다.
냉장고에서 식혜를 꺼내어 컵에 따라주는 원장 부인.

원장 부인 그 상처... 안 없어지네.
동수 (등 뒤를 힐끗 보며) 아... 저쪽에 있던 느티나무에서 떨어졌을 때...
원장 부인 그때 피가 너무 많이 나서 구급차 부르고 난리였지...
동수 연이 나뭇가지에 걸려서... 이렇게 잡는 순간 뚝 하고 부러지는 바람에...
원장 부인 그런 말썽쟁이도 이제 영민이 정도밖에 없어.

원장 부인, 동수에게 컵을 건넨다.

동수 영민이? 아~...
원장 부인 지금 탈출 중이야.

동수　　또요? (식혜를 마시고) 크~ 이것만큼은 옛날이랑 똑같네…

동수는 놓여있던 사진을 집어 든다.

원장 부인　…연락 없어. 유감이지만.
동수　　네? 아… 뭐 딱히 그것 때문에 여기 오는 건 아니에요, 이젠.

#39. 수진의 차, 낮

세워 둔 차 안.
수진과 이 형사가 신라면을 먹고 있다.
수진의 심기가 불편하다.

이 형사　보육원에 맡길 생각인 걸까요?
수진　　그럼 돈이 안 되지.

수진, 삶은 달걀의 껍질을 벗긴다.

이 형사　팀장님은, 교회가 한통속이 된 영아매매라고 과장님께 설명하셨잖아요…
수진　　(말을 자르며) 교회랑 한통속이야. 젊은 남자는 거기 직원이기도 하고.
이 형사　알바잖아요…
수진　　직원이야. 비정규직이지만…
이 형사　그치만… 전문적인 브로커라고 보기에는 뭔가 행동도 즉흥적이고…
수진　　이거 미지근한 물 넣었지?
이 형사　3분 안 기다리셔서 그렇습니다.
수진　　(불만) 팔아서 돈 받으면 전문 브로커지. 아냐?
이 형사　맞습니다만… 배후 조직이라는 건 좀… 너무 간 것 같기도 하고…
수진　　형사과 자식(최 형사 흉내)이 우리한테 빈정거리는 거 듣기 싫지?
이 형사　네… 그것만큼은 정말 싫습니다…

#40. 부산의 호텔, 복도

최 형사(42세)가 나타난다.
기다리고 있던 부하가 나란히 함께 걷는다.

최 형사　피 흘렸어?
부하　약간요.
최 형사　오늘 무슨 날인지 아냐?
부하　네... 할머니가 용돈 주시더라구요.
최 형사　적어도 어린이날에는 사람 좀 안 죽이면 좋겠네.

#41. 부산의 호텔, 실내

최 형사　신원 파악은 됐어?

부하, 남성의 신분증을 보여준다.

부하　지금 가족과 연락을 취하는 중입니다.

남성의 시체가 욕조 옆에 널브러져 있다.
바닥에 피가 흥건하고, 다툰 흔적이 있다.

최 형사　(시체한테서 얼굴을 돌린다.) 사인은?
부하　맞아서 목이 부러진 것 같습니다.

양손을 합장하는 최 형사.
부하도 따라 한다.

최 형사　1박에 얼마야? 여기.
부하　글쎄요...
최 형사　좋~아하겠다, 우리 마누라 데려오면...

최 형사는 방을 둘러보다가, 거실에 있던 컵을 집는다.
컵에는 희미하게 립스틱 자국이 남아 있다.

#42 결번 (38A로 이동)

#43. 해송원, 숙박실

소영은 립스틱을 고쳐 바르고 있다.
기저귀를 갈고 있는 상현. 울진 남자와 통화 중이다.

상현　일단 처음에는 선을 한번 보신다는 느낌으로... 네네... 키요? 키는 한 5~60센티 정도? 몸무게요? (소영을 본다.)
소영　4.8킬로.

상현 5킬로요. (조금 과장해서 말한다.) … 작지 않습니다. 그럼 사진 보내드릴게요.

전화를 끊는 상현.

상현 눈썹이 숱이 좀 없긴 하다.
소영 ……
상현 잠깐 실례.

상현은 소영의 화장품을 빌려 아기 눈썹을 진하게 그린다.

소영 이상해.
상현 늠름해 보이지 않아?
소영 그것보다… 왜 내가 마누라야?
상현 아니, 동수는 여기 사람들이 다 아니까.
소영 그냥 직원이라고 하면 되지. 가게 직원.

그때, 해진이 공을 가지고 들어와서 우성이를 만진다.

상현 그건 이상하지. 직원이랑 아기 데리고 어디 간다고 하면…
소영 그럼 적어도 딸이라고 하던가.
상현 생각해 봐, 우리 하나도 안 닮았어. (해진에게) 만지지 마. 어차피 살 사람 나타날 때까지만 이러는 건데, 뭘 그렇게 따져 따지긴…
거기 만지지 말라니까.
해진 이상한 눈썹이네.

해진, 전혀 말을 듣지 않는다.

해진 나, 아저씨 양자로 들어가면 안 돼?
상현 왜?
해진 축구 하고 싶어서.
상현 축구?
해진 응. 프로 축구 선수 돼서 손흥민처럼 돈 많이 벌려구.
상현 아저씨는 우성이가 태어난 지 얼마 안 돼서 말야…
(소영에게) 둘째는 아직 좀 그렇지?…
소영 (지긋지긋하다는 표정) 그렇지. 하나도 많지.
해진 괜찮은 제안일 텐데…

해진은 또다시 축구공을 차며 방에서 나간다.

상현은 우성을 안고 창가로 간다.

상현 예전에 여기서 자란 애가 프로 축구 선수가 된 적이 있었대.
그 뭐라더라... 그 왜 줄무늬 유니폼인데.

소영 몰라.

상현 보육원에서는... 여기 출신도 성공할 수 있다 이렇게 홍보하지만, 97프로는... (아니라는 의미로)

그때, 동수가 방으로 들어온다.

동수 3프로면 훌륭하지. 보통 사람들은 몇 프로나 성공하길래...

상현 보육원 이야기만 나오면 바로 욱한다니까.

안마당이 소란스러워진다. 호루라기 소리가 울려 퍼진다.
한 대의 차(보육원 이름이 새겨진 봉고차)가 들어온다.

상현 무슨 일이지?

동수 하나가 탈출했었거든. 잡혀서 끌려왔겠지.

소영 탈출?

동수 그냥 게임 같은 거야.

상현 보육원 놈들은 한 번씩 다 해보는 거지.

동수, 창문 밖을 내다본다.
영민(17세)이 의기양양하게 차에서 내린다.

아이2 어디까지 갔었어?

영민 △△역.

아이2 와 신기록이네~

영민은 창문 바로 밑으로 와서 동수에게 말한다.

영민 동수 형 기록을 내가 깼지~

그러자 또 원장의 호루라기 소리가 울린다.

동수 (영민에게) 난 3일 걸려서 잡혔거든.

상현 자랑이냐?

동수 거리랑 시간 다 따져야지. 내가 훨씬...

상현 휴대폰으로 전화가 들어온다.

우성을 동수에게 건네는 상현.

상현　그래 너 잘났다. 네 여보세요… 네네…
(동수와 소영에게 OK 사인을 보내며) 알겠습니다.
울진 말씀이신 거죠? 아뇨 아뇨, 괜찮습니다…
그럼 내일 뵙겠습니다.
동수　(우성의 얼굴을 보고는) 뭐야, 이 눈썹은…

#44. 해송원 근처 식당, 룸, 밤

원장 부부를 둘러싸고, 상현, 소영, 동수가 앉아있다.

상현　아니… 코인빨래방에서 단추 다시 달아 주냐 이겁니다.
바짓단 줄인 거 다시 내리거나 무릎 해진 데 안감 안 기
워주잖아요.
시우(직원) 육개장 나왔습니다.

하며 상현 앞에 내려놓는다.

상현　육개장 누구? (아무도 손을 들지 않는다.) 난 해물순두
부 시켰는데…
동수　여기 맛있어. 먹어 봐.

원장 앞이라 크게 화를 낼 수가 없는 상현.

동수　얘는 후배. 내가 포워드고 시우가 미드필더.
원장　그땐 축구팀을 2개나 만들 정도였는데.
시우　내가 가끔 코치해주러 가는데, 지금은 다른 보육원이랑
같이 하지 않으면 11명이 안 돼.
동수　기억 나? 그때 결승전 승부차기에서…
시우　아 그거… 4대 4로 서든데스 상황이었지…

하며 옛날 얘기로 꽃을 피운다.
할 수 없이 육개장을 먹는 상현.

상현　(혼잣말) 아유 싱거워. 제대로 안 끓였구만 이거.
원장　그 법률 있잖아. 입양…

원장 부인 아… 입양 특례법. 그 덕분에 해외 입양 조건이 까다로
워져서 잘 됐다 싶었는데…
상현　그래도… 뭐… 다… 애들은 입양되고 싶어 하지 않아요?
원장　글쎄…

상현　그 축구 좋아하는 녀석 엄청 적극적이던데…
원장 부인　아~ 해진이…
원장　걔는 이미 늦었어… 7살이잖아.
원장 부인　(젓가락으로) 8살.
상현　이미 늦었다…
원장　입양은… 거의 뭐 6살까지라고 봐야지. 그 정도는 본인도 알고 있을걸.

우성이 울음을 터뜨리고, 원장 부인은 우성 옆으로 간다.

원장 부인　뭐 싫어서 다시 돌아오는 애도 있고…
얼마 전에도 있었잖아요, 그 왜, 입양아가 학대당해서…
원장　겉으로 봐선 어떨지 몰라도, 피는 물보다 진하다니까.
원장 부인　입양된 후에 그 집에 아기라도 태어나면 어떻겠어…
원장　여기 있는 애들은 다 한 번씩 그 존재를 부정당했잖아, 버려졌을 때.
그러니 혹시 또 그렇게 되면 너무 불쌍한 거지.
원장 부인　맞아. 그래서 요즘엔 한번 둘러보고 싶다는 사람이 있어도 좀 그래…
상현　그럼 난 (세어본다) 계속 부정만 당한 인생이네…
동수　그럼 그 호루라기부터 좀 어떻게 해요… 무슨 군대도 아니고.
원장　규율은 중요한 거야. 사회에 나갔을 때…
동수　(시우에게) 옛날 원장님은 안 그랬는데.
시우　그냥 두들겨 맞았지. (즐거운 표정)

동수와 시우, 이번에는 선대 원장에게 혼났던 추억담을 시작한다.

원장　우리 아버지 시절엔 그래도 괜찮았을지 몰라도…
나는, 나름 걔네들 아버지 같은 존재가 돼 주고 싶어서 그런 거야.
원장 부인　신랑이 나이가 많아서 힘들겠네… 몇 살 차이예요?
소영　30살?
원장 부인　그렇게나? 우리 동수한테도 좋은 사람 있으면 신경 좀 써 줘요.
소영　글쎄요, 저 사람이 워낙 여자한테 불친절해서.
원장 부인　좀 그렇지… (작은 소리로) 보육원 출신이 많이들 그런데, 동수가 엄마에 대한 집착이 약간 있어요.
원장　…요즘 그래서는 전혀 안 돼. 안 통해.
소영　맞아요. 아무래도 어렵겠죠.

우성의 똥냄새가 방 안에 퍼진다.

상현　　어이 여편네. 저기 가서 좀… (기저귀 갈라는 의미로)
소영　　여편…

소영, 가방을 가지고 일어난다.

#45. 식당, 다른 룸

소영　　여편네라니… 태어나서 처음 들어본다 진짜…

새 기저귀가 없는 걸 깨닫고, 할 수 없이 차로 돌아가는 소영.

#46. 식당, 주차장

상현 일행의 차량에 GPS를 부착하려고 하고 있는 수진과 이 형사.

수진　　요즘 같은 시대에 이런 구식을 쓰다니… 사람 엿 먹이는 거야 뭐야.

그때, 차 뒷문이 열리고, 서로 얼굴을 마주 보는 두 사람.

이 형사가 망설이자, 수진이 이 형사의 우산을 자기가 든다.
이 형사는 짐칸에 올라타고는 문을 닫는다.
마침 그 순간, 소영이 차로 돌아온다.
웅크리고 앉아 우산을 접는 수진.
차 안에서 숨을 죽이는 이 형사.
기저귀를 가는 소리가 들려온다.
우성을 달래며 소영이 자장가를 부른다.

잘 자라 우리 아가 앞뜰과 뒷동산에
새들도 아가 양도 다들 자는데
달님은 영창으로 은구슬 금구슬을
보내는 이 한밤
잘 자라 우리 아가

이 형사　……

다시 식당으로 가는 소영.
차에서 나오는 이 형사.

이 형사　노래를 했어요…
수진　　무슨 노래?

이 형사　자장가요…
수진　흐응…

#47. 해송원, 숙박실, 밤

우성을 목욕시키고 있는 상현.
컴퓨터로 입양 희망자와 연락을 취하고 있는 동수.

상현　여긴 없는 게 없어서 너무 좋구나~(하며 우성에게) 몽땅 가져가자 우리~
동수　(상현에게) 귀 부분은 이렇게 해야지. 안 그럼 중이염에 걸려.
상현　하고 있어. (손가락을 귓구멍에 집어넣는다.)
동수　아니지. 귓불을 이렇게…
상현　거참 말 많네…

소영은 숙박실 바깥을 신경 쓰고 있다.

상현　좀 더 찾아보면 더 좋은 조건의 상대가 있을 텐데…
소영　그냥 그 울진 사람으로 하지?
상현　자, 다 됐습니다~ 목욕 잘~ 했다.
동수　(우성에게) 너랑 빨리 빠이빠이 하고 싶단다.
우리가 이렇게 열심히…
소영　(말을 자르며) 혼자서 아기 키우는 게 얼마나 힘든지 알기나 해?
동수　그래도 그런 걸로 버리는 걸 정당화하면 안 되지.
소영　그럼 파는 건 어떻게 정당화할 건데?
동수　버리는 놈이 있으니까, 우리 일이 필요한 거야.
순서는 똑바로 해야지.
소영　그럼 그런 박스 따위 만들지 말았어야지.
동수　내 말이 그 말이야. 아기를 구하겠다느니 어쩌니 하면서 엄마들 편하게 만들어주는 것뿐이잖아.
상현　그런 거 아닌데~ 그 박스 덕분에 이렇게 살아있는 건데, 우성이는~

상현, 물티슈로 우성의 얼굴을 닦으려 한다.

동수　그건 알코올 성분이니까 엉덩이만 닦으라니까.
상현　아, 그렇지…

동수, 소영을 향해 돌아본다.

동수　그런 편지 남겨놓고 진짜 데리러 오는 엄마가 얼마나 있을 것 같아?
소영　글쎄...
동수　40명 중 한 명이야. 나머지 39명은 두 번 다시 연락 안 와.
소영　왜 엄마만 갖고 그러는데? 아빠들한테도 똑같이 말해.
상현　(대화를 제지하려고) 동수야 이거 맞아?
동수　그렇게 뒤에서 앞으로 하면 안 돼.
그럼 적어도 연락처 정도는 적어놨어야지, 편지에.
소영　와, 그 말 벌써 두 번째 듣네.
동수　몇 번이고 말해줄 수 있어.
소영　당신이 뭔데 그렇게 잘난 척이야? 이런 구질구질한 보육원에서 애들이 형 형 하니까 우쭐해서는. 그럴 거면 그냥 여기서 살지 그래?

동수, 방을 나가버린다.

상현　저 녀석, 자기 엄마는 40분의 1 쪽에 해당할 거라 생각했었거든.
소영　?

상현, 대야(목욕통)를 가지고 일어선다.

상현　운동장에 있는 오래된 문 있지? 저 녀석, 거기에 버려져 있었다나 봐.
'꼭 다시 데리러 올게'라는 편지랑 함께.
소영　뭐...?
상현　틱틱거리는 것도 그래서 그런 거니까... 좀 봐줘.

소영, 동수가 나간 쪽을 바라본다.

소영　......

세면대에 대야의 물을 버리는 소리가 들려온다.

#48. 해안, 밤

음악 IN.

시우와 둘이서 술을 마시고 있는 동수.
파도 소리가 철썩 들리고.
동수는 구긴 종이 뭉치를 발로 차서 세워져 있는 술병을 맞춰보려

하고 있다.

시우　안된다니까. 3대째 하면 다 이 모양이라니까.
동수　양부모한테 존재를 부정당하면 어떻다느니...
그냥 지원금 깎이는 게 싫겠지. (종이 뭉치로 술병을 맞춘다.)

시우와 교대하는 동수.
둘이서 승부차기 형태로 대결한다.

동수　지영이, 일하고 있더라.
시우　결국 돌아왔어. 말이 쉽지, 가수는 무슨...
(빗나가고) 젠장. 3대 2.
동수　3대 1이다. 그래도 난 좋아했는데, 걔 노래.
시우　결국 다들 여기서 자리 잡는 거지.
동수　그래도 재밌겠다.
시우　혼자 있는 것보다는 그렇지. 그래도 넌... 더 멀리 가.

시우는 빈 술병을 바다로 던진다.

동수　멀리?
시우　그래. 넌 우리들의 희망의 별이잖아.
동수　어디로 멀리 가라는 거야... (병을 맞추고) 4대 1.
시우　어디든. 너까지 돌아와 버리면 좀 서글플 것 같다.
동수　바보냐, 안 돌아와... 나는......

#49. 해송원, 문

시우와 헤어지고, 혼자 돌아온 동수.
자신이 버려졌던 문을 만져본다.
문에는 쇠사슬이 쳐져 있다. 이젠 아무도 지나가지 않는 곳이다.

동수　......

천천히 음악 OUT.

셋째 날

#50. 해송원, 숙박실, 이른 아침

불현듯 눈을 뜨는 소영. 옆에서 자고 있는 우성이 잘 있는지 확인한다.

목소리가 들린 것 같아, 창문으로 밖을 내다본다.
비가 그쳐서 바닷가 마을의 지붕들이 반짝반짝 빛나고 있다.
옆방에서 동수가 들어와, 빛으로 둘러싸여 창가에 서 있는 소영의 뒷모습을 눈부신 듯 바라본다.

소영 (돌아보며) 좋은 아침.
동수 누가 있어?
소영 (고개를 젓는다.) 반짝거려서…

동수는, 우성을 데려와서 창문을 열고, 밖을 보여준다.
처마에서 떨어진 빗물이 우성의 손등에 떨어져 튕겨 나간다.

소영 어젠 미안… 내가 말이 심했어…
동수 무슨 말 했더라?
소영 ……
동수 비란다, 우성아… 비야.
소영 빗방울이지.
동수 그거나 그거나.

보육원 아이들이 어른 장화를 신고 물웅덩이에서 놀기 시작한다.

소영 나, 가끔 꿈꿔. 비가 오고… 그 비가 어제까지의 나를 깨끗이 씻어주고,
그리고 나는 다시 새롭게 태어나는 거지.
동수 ……
소영 근데 눈을 떠보면 비는 억수같이 쏟아지고 있고…
내 모습은 바뀐 게 없어…
동수 우산이 있으면 되지 않을까?
소영 우산?
동수 응. 큰 우산. 두 명이 쓸 수 있는 그런 거.
소영 그럼 빨간색이 좋겠다. 딸기가 그려진.
어릴 때 친구가 갖고 있었는데… 너무 부러워서.
동수 훔쳤구나.
소영 응. 버렸어.

두 사람, 웃는다.

#51. 부산, 국립과학수사연구원, 영안실, 낮

규석의 아내 김미숙(40세)이 남편의 시체와 마주하고 있다.
핸드백에서 남편의 휴대전화를 꺼내더니, 시체의 손가락으로 지문인식을 한다.

밝아진 화면에 미숙의 얼굴이 비친다.

#52. 부산, 다세대 빌라, 밖

경찰차가 정차한다.
최 형사가 차에서 내려, 계단을 올라간다.
지난 현장에 같이 있었던 부하가 안내하고 있다.
최 형사는 입속으로 중얼거리며 계단을 세고 있다.

부하　이웃들 얘기로는, 사는 애들이 때때로 바뀐다고...
최 형사　(발을 멈추고 돌아본다.)
부하　?
최 형사　세고 있었는데 말 걸고 진짜... (몇 개까지 세었는지 잊었다.)

할 수 없이 다시 계단을 오르기 시작하는 최 형사.

최 형사　혈연관계 아니지?
부하　네. 다들 '엄마'라고 부르긴 하는데...
최 형사　다들? 몇 명인데?
부하　(세어 보고는) 4명이요.
최 형사　(위를 쳐다보며) 멀었어?
부하　네, 이제 반 왔습니다.
최 형사　에스컬레이터 좀 깔아라... 아우씨...

최 형사, 부하를 붙잡고 올라간다.

#53. 소영의 집, 현관

사람들이 몰려있다. 주민들이 무슨 일인가 싶어 들여다본다.
최 형사, 숨을 헐떡이며 도착한다.

최 형사　비켜요 비켜, 뭔 구경 났어요?

구경꾼들을 헤치고 안으로 들어가는 최 형사.
방 한쪽 구석에는 여자아이들이 걱정스러운 얼굴로 앉아 있다.
그중 한 소녀(예지)는 천식약을 흡입 중이다.
술집 종업원처럼 화장을 진하게 한 여자애(19세)는 거울 앞에서 머리를 빗고 있다.
박 여사는 의자에 앉아서 중국차를 마시고 있다.

최 형사　하나, 둘, 셋, 넷... (부하에게) 5명인데?

부하　　그러네요.

최 형사　이 남자 알아요? 이규석.

박 여사　(고개를 가로저으며) 누군데요?

최 형사　그건 내가 묻고 싶은 건데.

부하가 여자아이들에게 이름과 나이를 묻기 위해 다가간다.

박 여사　본 적 없는 사람이에요. 무슨 일인데요?

최 형사　살해당했습니다. 호텔에서.

박 여사　예지야, 애들 데리고 옆방에 가 있어… 애들 앞에서 무슨 얘기를…

최 형사　그럼 이쪽은? (사진을 보여주며) 호텔 CCTV 사진인데, 여기서 사는 여자애 맞죠?

예지가 멈춰 서서 돌아본다.
최 형사, 거울 앞의 여자애에게도 사진을 보여준다.

최 형사　알아? 이 언니.

여자애는 박 여사의 얼굴을 흘끗 보고는 고개를 흔든다.

최 형사　여기… 품에 안고 있는 거, 애기지?

박 여사, 일어서서 싱크대에 찻잎을 버리러 간다.

박 여사　낳지 말라고 했어요. 그런 기집애가 어떻게 엄마가 돼.

선아(이웃)　왜 경찰은 자꾸 없는 사람들 괴롭힐까. 더 나쁜 놈들도 있을 텐데.

구경꾼들이 들여다보고 있는 창문의 커튼을 치는 최 형사.

최 형사　그럼 당신이 하는 짓거리는 엄마다워?
이거(전단지). 그리고 저거(성매매).

박 여사　난 오갈 데 없는 애들 데려와서 보살펴주는 것뿐이에요.

최 형사　(전단지를 집어 들며) 쟤들이 당신을 보살폈겠지.

#54. 해송원, 입구 문 앞

보육원 계단 아래쪽에 차를 세우고, 수진이 최 형사와 통화 중이다.

수진　살인? 누구를?

최 형사　고객이겠지.
수진　성매매라고?
최 형사　그런 얘기지.
수진　그러니까 그 말은, 도망쳐야 하는데 아기가 방해가 됐다는 거네.
최 형사　뭐 그렇게 추측할 수 있지.
수진　진짜 최악이다...
최 형사　그래서 말인데, 우리 형사과로선 지금 당장이라도 체포할까 하는데.
수진　아니 잠깐만. 반년이나 걸려서 이제 겨우 브로커 정체를 알아냈는데...
어떻게든 우리가 현행범으로 체포하도록 해 줘.
최 형사　사건의 경중으로 따지면 누가 봐도 살인이...
수진　3일만 줘. 그때까지 반드시 팔게 할 거니까.

전화를 끊고 생각에 잠긴 수진.

이 형사　살인이면... 형사과가 움직이겠네요.
수진　이미 움직이고 있어. 세팅해야겠다.
이 형사　세팅이요?
수진　구매자.

#54A. 도로

풍력발전기가 늘어선 도로를 달리는 상현의 차.

#55. 상현의 차

달리는 상현의 차.
어제 연락했던 구매 희망자에게 전화를 걸고 있는 상현.
동수는 새로운 후보와 연락하고 있다.

상현　젠장... 전화 안 받네, 울진.
동수　이런 (눈썹) 사진을 보내니까 그렇지.
여기 어때?... 2000만 원.

상현도 동수의 휴대폰 화면을 들여다본다.

상현　시세의 2배라...

소영은 차 뒷문이 자꾸 열리려고 하는 게 신경 쓰여, 계속 끈을 당기고 있다.

동수 만나볼까? 빌딩 소유주인 거 같은데.

상현 좀 불길한 예감이 든다...

동수 그 '예감' 한 번도 맞은 적 없잖아.

#56. 수진의 차

달리고 있는 수진의 차.

수진 (태블릿을 보고 있다.) 반응이 괜찮은데?

이 형사 네... (그닥 내키지 않는다.)

수진 2000만 원인데 제까짓 게 안 물고 배겨?

이 형사 그렇죠...

수진 사고로 아기를 잃었다고 할까? 너무 무거운 설정인가?

이 형사 그런 것 같습니다...

수진 빌딩 주인 부부 해 줄 사람이랑... 미끼로 쓸 돈도 빨리 준비해.
먼저 가서 기다리고 있자.

이 형사 알겠습니다...

좀 더 속도를 내서 달리는 차.

수진 근데... 싸지 않아?... 1000만 원...

이 형사 ?

수진 시세 금액 말이야, 아기. 심지어 여아는 800만 원이야.

이 형사 팀장님...

수진 왜?

이 형사 범행을 유발하기 위해 미끼를 쓰는 것은 위법 아닙니까?

수진 뭐 땜에 200만 원이나 차이 나지? 진짜 짜증 나네... 뭐라고?

이 형사 재판에서 증거로 채택되지도 않는다고 배웠습니다.

수진 이건 범죄 유발이 아니야. '기회 제공'이야.

이 형사 (입안에서 우물우물) 기회...

수진 범행 의도는 처음부터 있었어.
0을 1로 만드는 건 안되지만, 1을 2로 만드는 건 세이프.

이 형사 ...네.

#57 결번 (54A로 이동)

#58. 상현의 차

라디오에서 흘러나오는 음악에 맞춰 콧노래를 흥얼거리는 상현.

상현　　계약 그거 좀 되면 부산으로 바로 저기 해서...
(소영이 눈치를 보며) 거기 함 가자.
동수　　거기?
상현　　있잖아 거기. (소곤거린다.)
동수　　제니퍼 만나러 가자고? 아 싫어, 혼자 가.
난 그런 가게 별 흥미 없어.
상현　　(작은 소리로) 야 인마, 좀 작게 말해.
소영　　이런 상황에서도 그런 쓸데없는 말을 참 잘도 하네.
상현　　분위기 릴랙스 좀 시켜보는 거지. 군대에선 말이야, 출격 전에...
동수　　형 군대 안 갔잖아. 감방 들어가느라.
상현　　야 너도 안 갔잖아. 보육원 출신은 군대 면제라서.
동수　　금메달리스트랑 같은 급이고.

음악 볼륨을 낮추는 상현.
무언가에 귀를 기울인다.

상현　　(뒤쪽을 살핀다.)

상현, 차를 멈춘다.

동수　　왜? 엔진 땜에 그래?

#59. 해안가 공터

상현이 차에서 내린다.

동수　　뭐야, 왜 이런 데 세워?

뒤쪽 문을 여는 상현.
쌓여있는 옷더미 안쪽에서 해진이 나온다.

3명　　......

해진, 곧바로 바다 쪽으로 달려가서 소변을 본다.
세 사람, 서로 얼굴을 마주 본다.

해진　　으아아아아아~~~
상현　　내가 말했지. 뭔가 불길한 예감이 든다고...
동수　　뭐야, 그 예감이 이 예감이야?

해진이 돌아온다.

해진　너무 흔들려서, 쫌만 늦었어도 쌀 뻔했네.
이 차 좀 구리네.

상현　지 맘대로 타 놓고 말하는 것 좀 보게.

해진　아저씨, 나도 같이 데려가 줘.

그러더니, 리프팅을 하기 시작하는 해진.

동수　안 돼. 다들 걱정할 거야.

상현　돈 줄 테니까 혼자서 버스 타고 돌아가.

해진　싫어.

상현　왜 가족여행을 방해하고 그래?

해진　나 다 알아. 다들 가족 아니잖아. 우성이 팔려는 거지?

상현　하… 이놈 이거 다 듣고 있었네.

#60. 상현의 차

달리는 차.
조수석에 앉아있는 해진. 무릎에 올려놓은 축구공을 두드리며 노래하고 있다.
어른들은 모두 말이 없다.

해진　이 차 이름 '해진 호'라고 해도 돼??

상현　그래그래, 니 마음대로 해라.

해진　앗싸~

해진이 무릎 위로 안고 있는 축구공에 '海進'이라고 쓰여 있다.

상현　그건 또 뭐야?

해진　내 이름. (손가락으로 이름을 그대로 따라 쓴다.)

목사님이 지어주신 이름이야.

상현　너 진짜 네 이름 좋아하나 보다.

해진　그런 거 아니야. 이렇게 많이 안 써 놓으면 보육원에선 없어진단 말이야.

상현　야 이 바보야, 훔치려는 놈들은 암만 이름 써 놔도 다 훔쳐간다.
(동수에게) 그지?

뒤쪽에서 경찰차가 따라온다.

상현　아 뭐야? 그렇게 속도도 안 냈구만.

차를 세우라는 지시에 따라 상현 일행은 차를 갓길에 세운다.
소영은 옆에 두었던 모자를 깊게 눌러쓰고 자는 척을 한다.

상현 넌 내 아들인 거다. 알았지?

해진 (소영을 가리키며) 이왕이면 이 사람 아들이 좋은데.

상현 어린놈이 거참… 뭐 그럼 내 마누라로(하다가) 두 사람이 우리 가게 직원 부부인 걸로…

동수 아 싫어 뭔 부부야.

소영 나도 싫어.

상현 그럼 친척으로 하자. 먼 친척.

동수 어느 정도? 사촌? 팔촌?

경찰이 다가와서 창문을 열라고 신호한다.

상현 지금 그게 중요하냐? 아이구 수고 많으십니다.

경찰 면허증이요.

상현 (면허증을 건네며) 저 속도 많이 안 냈는데…

경찰 하진영 씨, 지금 운행 중에 휴대폰 쓰셨죠?

상현 아뇨, 안 썼는데요.

경찰 쓰셨잖아요, 이렇게…

상현 아… 그건 이 자식이… 아니, 우리 애가 너무 시끄럽게 노래를 부르는 바람에… 귀를 막은 겁니다…

경찰 노래요?

해진, 노래를 부르기 시작한다.

상현 (거 보라는 표정으로)……

경찰, 별일 아니었네 하는 표정.

경찰 다 같이 어디 가는 중이니?

해진 롯데월드 가서 관람차 탈 거예요.

경찰 아이구 멀리 가는구나.

해진 네. 신기록이에요.

상현/동수 ……

경찰 근데 거기는 관람차가 없는데.

해진 진짜요?

경찰 관람차 타려면 월미도로 가야지.

상현 그럼 월미도로 갈까?

경찰 혹시 시간 되면 아빠한테 유람선도 태워달라고 해.

동수 전 배는 좀 약한데… 멀미를 하거든요.

잠시 침묵.
소영이 어이없는 표정으로 동수를 쳐다본다.

경찰　(차를 보고는) 세탁소 하시나 봐요?
상현　아, 네…
경찰　얼마 전에 이 셔츠를 맡겼는데, 이것 좀 봐요, 소매 부분이 완전 쪼그라들어선…
상현　(셔츠를 살펴본다.) 이건 울 소재라서 드라이하셔야 되는데…
경찰　그래요?
상현　요즘 아마추어들이 많아서 세탁할 때 제대로 보지도 않아요…
(하는데 해진이 빨리 가자며 상현의 소매를 끌어당긴다.)
왜? 아, 가자고? 저 그럼 이만…

상현, 싹싹한 미소를 보이며 출발한다.
해진, 손을 흔든다.

상현　(창문 너머로) 드라이(클리닝이)요~

경찰도 해진에게 손을 흔든다.

#61. 리조트 호텔, 객실, 오후

바다가 보이는 객실에서, 부부 역할을 할 2명에게 도청기를 달아주고 있는 수진과 이 형사.

수진　빌딩 주인으로 보일까…? (캐스팅에 약간 불만이다.)
이 형사　좀 젊나요?
수진　두 분은 사실혼 관계인 겁니다. 그래서 정식 입양이 어려운 거예요. 아셨죠?
두 사람　네.
수진　(송씨에게) 그쪽 정자 수가 적은 걸로 합시다. 그리고 뭣보다, 돈을 빨리 주세요. 아주 자연스럽게.
송씨　네 자연스럽게…
수진　여기 대사, 한 번 해보세요.

송씨 부부, 준비된 대사를 읽는다.

송씨 부인　불임 치료 받은 지 벌써 5년이라, 둘 다 많이 지쳐서요…
송씨　저희 진짜 자식처럼 저희들이 소중히 키우겠습니다.
수진　딱딱한데… '진짜'를 빼볼까요.
송씨　…네… 저희 자식처럼 저희들이…

이 형사　연습을 좀 할까요?
두 사람　네 알겠습니다.

수진, 베란다로 나가서 대사를 읽어본다.

이 형사　아, 그리고 아기 친모한테 친부 이야기는 묻지 마시구요.
그리고 애 얼굴 얘기는…

다시 방 안으로 들어오는 수진.

수진　자 그럼, 브로커들 발견하고 일어서는 부분부터 쭉 이어서 해봅시다.
이 형사가 브로커라고 하고…

#62. 리조트 호텔, 광장

상현 일행이 나타난다.

동수　이번에 또 그러면 진짜 버리고 간다.
소영　고객이 하는 거 봐서.
상현　(소영에게) 온화하게. 스마일 스마일~

송씨 부부가 먼저 와서 기다리고 있다.
상현을 발견하고 일어서는 송씨 부부.

상현　늦어서 죄송합니다… 많이 기다리셨어요? 길이 너무 막혀서…
송씨　아뇨, 저희들도 지금 막…
상현　반갑습니다. 하상현입니다. 송지철 씨 되시죠?
송씨　네, 맞습니다. 얘가 우성인가요?
소영　(경계하며) 네.
송씨 부인　(소영에게) 아기 엄마?
소영　…네.
송씨 부인　한 번 안아 봐도 될까요?

소영, 우성을 넘겨준다.
송씨 부부는 함께 우성의 얼굴을 들여다본다.

상현　아주 멋있는 남자로 자랄 겁니다.
눈썹도… 쫌만 더 크면 그럭저럭 뭐……
소영　그쪽이 제대로 키워주실 거죠?
송씨　물론입니다. 저희들이 소중히 키우겠습니다.

소영　　혹시 임신해서 친자식이 태어나도 똑같이 아껴주실 건 가요?

동수, 소영을 쳐다본다.

송씨　　물론입니다. 그렇지?(하며 아내를 본다.)
동수　　불임 치료는 계속하실 겁니까?
송씨 부인　아뇨. 벌써 5년이나 받은 지라 둘 다…
송씨　　둘 다 많이 지쳐서요.

#63. 리조트 호텔, 2층, 기둥 뒤

둘이서 나란히 이어폰으로 대화를 듣고 있는 수진과 이 형사.

수진　　(작은 소리로) 적당히 하고 돈 줘야지. 빨리 돈…

#64. 리조트 호텔, 광장

송씨 부인이 가방에서 돈을 꺼낸다.

동수　　AMH 하셨어요? 검사.
송씨　　……
동수　　아님 HSG?
송씨　　(무슨 말인지 모르지만) 네에… 그쪽이요.
동수　　레트로졸은 효과가 없었나요?(하며 남편에게 묻는다.)
송씨　　네… 실패했습니다. 부작용이 심해서…(하며 가슴을 누른다.)
송씨 부인　그걸 보는 제가 마음이 너무 안 돼서요…

동수, 상현과 눈짓으로 신호를 주고받는다.

송씨　　……
동수　　레트로졸은 배란유도제니 당연히 당신(송씨)이 먹으면 효과가 없겠지.

송씨, 도움을 요청하듯 2층을 올려다본다.
수진 일행은 몸을 숨긴다.

상현　　(이리 내놔 하는 제스처)

송씨, 포기하고 우성을 넘겨준다.
해진, 엄지손가락을 아래로 향하게 해서 야유하는 제스처.

#65. 리조트 호텔, 통로

우성을 둘러싸고, 당당하고 시원스레 걸어가는 상현 일행.

#66. 주유소

들어가는 상현 일행의 차.
세차를 하기로 한다.
가짜 구매자인 걸 꿰뚫어 본 동수는 자랑스러운 표정이다.

동수 그거, 전매가 목적인 거야. 난 바로 알았지.
상현 전매, 알아? ...해진아, 창문 열지 마. 거기 만지면 안 돼.
동수 그 사람들한테 누가 돈 주고 시킨 거야.
소영 불임 치료에 대해서 어떻게 그렇게 잘 알아?
동수 작년에도 이런 일 한 번 있었거든. 그때 형은 완전 속았지만.
상현 그러니까 중요한 건... 아니 거기 누르면 안 된다니까. 중요한 건 관찰이야. 그대로 넘겨줬다면 지금쯤 우성이는 인도나 중국으로...

해진, 창문을 조금 내린다.

상현 닫아! 인마!

세제 거품이 차 안으로 들이닥친다. 창문을 올리려다 잘못해서 더 내려버리는 해진.
그러자 뒷문까지 벌컥 열린다.

#67. 상현의 차

음악 IN.

네 사람 모두 거품투성이로 신났다.

상현 저 뒤에 있는 걸로 다들 알아서 적당히 해결해.

소영이 짐칸으로 이동해서 옷을 골라 앞으로 던진다.
어울린다 안 어울린다로 또 한 번 시끄러운 남자들.
소영은 옷더미 속에서 옷을 갈아입기 시작한다.

소영 근데 아까 면허증...

상현 응?
소영 하진영이라고...
상현 아, 상현이란 이름은 내 군대 시절 별명이야.
동수 그러니까, 형은 군대 안 갔잖아,
상현 아 거참 따지기는. 너도 뭐? 멀미하거든요?
동수 완전 리얼하지 않았어?
소영 완전 어이없었지. 해진이가 훨씬 더 잘하더라.

해진, 기쁜 표정.

동수 (소영에게) 옷 뭐 입었어?
소영 뭐지... 아, 여기 이름 있다. 김도훈이라는데.
상현 아~ 공장 유니폼이구나. 빵집인가 과잔가.
동수 빵집도 나쁘지 않겠다... 세탁소 망하면.
상현 (때리는 시늉)
소영 빵집이라... 그래 나쁘지 않겠다.

머리카락을 바람에 날리며 눈을 감는 소영.

소영 소영이.
상현/동수 ?
소영 내 진짜 이름. 문소영.
상현 그럼 선아는...
소영 옆집에 사는 시끄러운 아줌마.
상현 상현이도... @@ 이름이야.
동수 진짜야?
상현 응.
동수 본명(태어날 때 이름)이 아무도 없구만.

네 사람, 서로에게 조금씩 마음을 터놓게 된다.

음악 OUT.

#68. 울진의 모텔, 밖

차 안에 있는 수진과 이 형사.
분위기가 가라앉아 있다.

이 형사 근데 그새 애가 하나 늘었네요...
수진 그러게. (자포자기 심정)
이 형사 재도 팔려고 그러는 걸까요?
수진 나한테 묻지 마. 나도 몰라.

이 형사 …죄송합니다.
수진 그냥 우리가 살까? 직접 미끼가 돼서.
이 형사 ……
수진 돈도 있고. 여자끼리 커플인 설정으로.
이 형사 그럼 그 어느 쪽이 무슨… (누가 남편이고 누가 아내?)
수진 농담이야.
이 형사 죄송합니다. 저도 모르게 순간 진지해져서.
수진 나도 순간 진지하게 생각했다.

수진, 한숨을 쉰다.

수진 이렇게 된 거 그냥 써먹을까… 사람 죽인 거.
이 형사 무슨 말씀이세요?
수진 포섭하자고. 우리 쪽으로.

그때, 소영이 혼자서 모텔에서 나오는 모습이 보인다.

#69. 편의점, 가게 안

소영, 계산하고 있는데, 휴대폰으로 전화가 들어온다.

소영 여보세요…
미숙 문소영 씨?
소영 …누구야?
미숙 이규석 와이프 되는 사람입니다. 아기 넘겨줘요. 돈도 다 지불했으니.
소영 돈?
미숙 그래요. 박 여사라는 사람한테 500만 원을…
소영 엄마가?
미숙 애 떼겠다고 돈 내놓으라더니…
그래 놓고선 멋대로 애는 낳아가지고…

소영, 전화를 끊는다.

#70. 편의점, 밖

편의점에서 나오는 소영.
그때, 수진과 이 형사가 다가가서 경찰 신분증을 내민다.

#71. 수진의 차, 해 질 녘

수진　　불법이라는 건 알고 있지.
소영　　불법?
수진　　불법이야, 당연하잖아. 인신매매야.
소영　　팔지 말라고?
수진　　그 반대야. 팔아 줘, 우성이를. 그걸로 저 두 사람 현행범으로 체포할 거야.
이 형사　우리가 벌써 반년이나 지켜봤거든, 그 두 사람.

이 형사가 도청기를 준비하는 걸 소영이 곁눈으로 본다.

소영　　내가 왜 경찰에 협조해야...... (하는 거죠?)

수진, 소영을 쳐다본다.

수진　　협조하면 살인을 상해치사로 바꿔줄 거니까.
소영　　아~~ (그런 얘기구나)
수진　　지금 당신, 빼도 박도 못하게 실형이야.
이 형사　살인죄는 짧아도 10년입니다.
소영　　그러니까... 우성이를 구매자 손에 넘길 때까지 형사님들이 계속 따라오겠다는 말?

그렇게 되면 우성이를 김미숙에게 뺏기지 않을 수 있겠다고 생각하는 소영.

수진　　맞아. 그렇다고 해서 당신 보디가드는 아니지만.

소영, 훗 하고 작게 웃는다.

소영　　팔면 된단 거지... 알았어.

#72. 울진의 모텔, 밖, 밤

어두운 표정으로 돌아오는 소영.
편의점 봉지를 내던진다.
세 사람에게 주려고 산 아이스크림이 땅바닥에 흩어진다.

#73. 울진의 모텔, 안

안으로 들어오는 소영.
상현이 즐거운 표정으로 비닐로 된 아기 욕조에 바람을 넣고 있다.

동수　　오래 걸렸네.
상현　　지금 우리 3명 분담표 만들고 있었어.
소영　　분담표?
동수　　응. 우성이 분유 먹이기 분담.
소영　　뭐 좋은 일이라도 있어?
상현　　서울에 손님이 있는데, 3000만 원을 주겠대.
소영　　와… 대박이네. 지금 목욕시키게?
동수　　똥이 좀 묻어갖고, 엉덩이에. 형 진짜 못 해.
상현　　밤 10시부터 아침 6시까지 2시간씩 교대잖아.
동수　　뭐? 상, 동, 소, 동, 상… 좀 이상한 거 같은데?
상현　　뭐가?
동수　　여기 내가 아니라 형이 들어가야지.
상현　　새벽 4시부터 6시?
동수　　그래. 지금 이거는 형이 6시간이나 푹 자는 시간표잖아.
상현　　안 되냐?
소영　　심하다… 그건 아니지.

소영, 마음이 조금 가벼워진다.

해진　　나도 할 거야. 분유 주는 거.
상현　　그럼 점심때 여기, 해진이가 해볼까?
해진　　응.
동수　　아, 본인 꺼 빼서 주는 게 어딨어.
상현　　아니 지가 한다고 하니까.
동수　　그럼 이건 어때? 상, 동, 소, 상…
상현　　그럴 거 같으면 동, 소, 상, 동… 야 노친네 좀 봐줘라 진짜.

소영, 저도 모르게 조금 웃음을 터뜨린다. 그리고 살짝 눈물을 보인다.

상현, 그 눈물을 바라보고 있다.

#74. 수진의 차

세 사람의 즐거운 웃음소리가 스피커에서 들려온다.

수진　　뭐라도 좀 먹을래?
이 형사　아뇨… 사 올까요? 김밥이라도.
수진　　떡볶이도.
이 형사　알겠습니다.
수진　　근데… 뭔가 너무 쉽게 이쪽에 협조하는 것 같지 않아?
이 형사　그렇… 죠…
수진　　역시 감형해준다는 얘기가 좀 먹혔나…

이 형사　아뇨… 그건 아닌 것 같습니다.
수진　그럼 뭔데?
이 형사　그건 모르겠지만… 여튼 다녀오겠습니다.

이 형사, 차에서 나간다. 홀로 남은 수진.

수진　모르면 말을 하지를 말던가. 진짜.

넷째 날

#75. 울진의 모텔, 아침

상현이 분유를 먹이려고 하지만, 우성이 울음을 그치질 않는다.
소영과 해진이 걱정스러운 얼굴을 하고 양옆에서 들여다보고 있다.
동수가 해열 시트를 사서 모텔방으로 돌아온다.

동수　어때? 좀 먹었어?
상현　아니… 또 토했다.
동수　제대로 식혔어? 너무 뜨거운 거 아냐?
상현　(직접 마셔본다.) 아니, 괜찮은데.

동수가 해열 시트를 우성의 이마에 붙여준다.

상현　열이 지금 한 38.5도는 되는 거 같애.
소영　……
해진　어제 물에 젖어서 그런가… 미안해 우성아.
상현　너 때문 아니야.

해진, 죄책감을 느낀다.

동수　그냥 감기 같으면 괜찮은데… 어제부터 잠투정도 심하고…
상현　(소영에게) 전에도 이런 적 있어?
소영　(고개를 가로젓는다.)
동수　병원에 데려가야 해… 형.
상현　아이 그건 안 되지. 들킬 수도 있는데.

#76. 울진의 병원, 주차장, 낮

차를 거칠게 세우고는 상현이 우성을 안고 뛰기 시작한다.
쫓아가는 동수, 소영, 해진.

#77. 울진의 병원, 진료실

격정스러운 표정의 상현. 그 뒤로 동수와 소영.

상현　뇌수막염이 아니어야 할 텐데요... 왜 그런지 어제부터 계속 축 늘어져서는...

해진이 동수의 등 뒤에서 모습을 드러낸다.

해진　나을 수 있어요? 안 죽어요?
의사　네 동생이니?
해진　네.
의사　괜찮을 거야. 안 죽어.
(소영에게) 감기로 보이긴 합니다만, 폐렴으로 번지지 않도록 오늘 하루 지켜보시고... 해열제 처방해 드릴 테니 그래도 열이 떨어지지 않으면 내일 다시 오세요.
해진　다행이다 우성아. 너 안 죽는대.
동수/소영　(안심한 얼굴로 서로 마주 본다.)

#78. 울진의 병원, 대기실

약을 기다리고 있는 소영과 동수.
해진은 복도에서 축구를 하다가 간호사에게 혼나고 있고, 상현이 옆에서 사과하고 있다.
그때 다른 간호사가 다가온다.

간호사　우성이 아버님 되시나요?
동수　아... 네...

자리에서 일어나는 동수.

간호사　우성이 주민등록번호가 어떻게 되죠?
동수　아, 실은 아직... 1개월이라...
간호사　1개월이요? (하며 놀란다.)

소영도 자리에서 일어난다.

소영　다들 놀라더라구요.
간호사　......(신용이 안 가는 표정)
동수　아무래도 분유 덕분인가? 미국 거... 그거 뭐더라?

소영　씨밀락.
동수　맞다. 그 씨밀락을 시골에 계신 애 할머니가 어찌나 많이 보내주셨는지…
소영　그러니까요, 첫 손자라서 너무 좋으셨나 봐요.
간호사　그럼 저, 일단 아버님 이쪽으로…

동수가 간호사와 함께 자리를 뜨고, 상현이 축구공을 들고 돌아온다.

상현　아 저놈의 자식 진짜… 시도 때도 없이 축구를 해대니… 이래서 보육원 출신은…

소영이 피식 웃는다.

소영　고마워요. 우성이 일.
상현　애기들 원래 이렇게 열도 나고 하면서 크는 거지 뭐.
소영　나 혼자였으면 아무것도 못 했을 거야.
상현　딱히 혼자서 다 해야 할 필요는 없어.
소영　……
상현　아빠는? 우성이…
소영　(고개를 흔든다.) 처음부터 반대했었어.
상현　그랬구나… 그거 참… (힘들었겠구나)
소영　내가 엄마가 없어봐서… 우성이한테 뭘 해주면 좋을지 하나도 모르겠어…
상현　옛날엔 부모를 자식이 보살피는 게 당연했지만, 지금이야 양로원에 갖다 넣어도 아무도 뭐라 하는 사람이 없어… 아마 머잖아, 자식은 반드시 부모가 보살펴야 한다고 말하는 사람들도 없어질 거야.
소영　나 위로해주는 거?
상현　응? 아니 뭐… 내 얘기지 뭐… 헤헤.

#79. 수진의 차, 오후

뒷좌석에서 양말을 갈아 신고 있는 이 형사.

이 형사　아기… 괜찮을까요?
수진　다들 호들갑은. 어차피 그냥 감기야.
이 형사　그렇긴 하겠지만…
수진　빨리 낫지 않으면 곤란한데.

이 형사, 결국 폭발한다.

이 형사　안 팔릴까 봐요?
수진　(찔린다.) 아니 팔지 못하면 현행범으로 체포할 수가 없으니까.
이 형사　여성청소년과라면, 형사과보다 좀 더 강 위쪽에서 그물을 쳐야 한다고 생각했습니다.
수진　강 위쪽?
이 형사　아기가 버려지기 전에 그 엄마부터 구해야 맞는 거 아닙니까?
수진　그건 복지부가 할 일이야. 버리기 전에는 복지부, 버린 후에는 경찰.

수진, 창문을 조금 열고, 유리에 붙은 꽃잎을 떼어낸다.

이 형사　팀장님은 왜 그렇게 그 여자한테 냉정하십니까?
수진　무책임하니까. 멋대로 낳아놓고 멋대로 버리니까.
이 형사　하지만… 그 여자도 그렇다고 단정해버리는 건…
수진　너 자식 버리는 엄마의 마음을 이해해? 난 이해 못 해.

창밖을 바라보는 수진.

#79A. 부산, 장례식장, 안, 오후

상복 차림의 미숙.
나와서 계단을 올라간다.

#80. 부산, 장례식장 옥상, 오후

남편의 휴대폰으로 사진을 보고 있는 미숙.
그러자, 두 명의 남자들이 나타난다.
남자들은 세탁소에 찾아왔었던 사채꾼들이다.
미숙은 남편의 휴대폰에 담긴 사진을 보여준다.

미숙　아마 이 여자가 아기를 데리고 도망갔을 거예요. 찾아서 데려와요.
남자1　여자를요?
미숙　아기를.
남자2　그 아기는 어쩌시려구요?
미숙　키우려구요, 내가. 남편의 아이니까.

남자2, 사진의 여자가 소영임을 알아본다.

남자1　돈이 좀 드는 일인데 괜찮으시겠어요?
미숙　얼마요?
남자1　4000만 원.
미숙　좋아요. 그 대신 최대한 서둘러 주세요.
남자1　애새끼 받아내는 일은 처음이네요, 우리도.

#81. 장례식장 주차장, 차 안, 오후

차에 올라타는 두 남자.

남자1　하상현이랑 같이 있었다고?
남자2　틀림없습니다. 친모라고 했어요.
남자1　그럼 엄한 데 팔아먹기 전에 손 써야겠다.

남자1, 상현에게 전화를 건다.

남자2　근데... 진짜로 키울 생각일까요?
남자1　그건 우리가 신경 쓸 일 아니고.
남자2　네...
남자1　너, 할 수 있겠어? 혼자서 이번 일.
남자2　네... 맡겨 주십시오.

#82 결번

#83. 삼척의 코인빨래방, 오후

거품투성이가 된 옷을 세탁하러 와 있는 상현.

상현　(혼잣말) 전자동이라니 장난하냐... 아 이건 뭐 어떻게...

그때, 휴대폰으로 전화가 들어온다.
진절머리 나는 표정으로 전화를 받는 상현.

상현　(갑자기 싹싹하게) 안녕하십니까~ 죄송합니다. 돈은 서두르겠습니다.
조금만 더 기다려 주시면... 지금이요? 왜요? 네? 아기요? 우성이 친부가요?

상현의 표정이 변한다.

#84 결번

#85. 삼척의 모텔, 밤

분유를 먹이고 있는 소영. 옆에서 지켜보고 있는 동수.
동수는 잠든 해진의 머리를 쓰다듬는다.

동수 완전 잠들었네…
소영 피곤했나 보다. 자기 때문이라고 신경 썼잖아.
동수 이 녀석, 시우랑 좀 닮았어. 이런 타입이 안 팔리고 남게 되지.
소영 그쪽은 입양되고 싶은 생각 없었어?
동수 난 거기가 참 좋았어. 그래서 입양 얘기는 내가 거절했지.
소영 엄마가 데리러 온다고 해서?
동수 .... 형이 또 뭔 말 했구나?
소영 응… 편지 얘기.
동수 난 내가 버려졌다고는 생각 안 했으니까.
소영 강하네.
동수 타고난 재능이지. 자 다 먹었다~ 어깨에 턱을 이렇게 받쳐봐… 그렇지…
소영 시끄러워. 나도 알아.

소영, 아기의 등을 두드린다.

동수 그 간호사, 진짜 믿더라.

두 사람, 그 일을 떠올리고는 피식 웃는다.

소영 시골 할머니라니… 술술 잘도 나오던데?
동수 첫 손주 얘기도 리얼했어.
소영 그치… 뱃멀미보단 괜찮았지.
동수 좀 더 위에… 그래 거기…
소영 좀 조용히 해.
동수 너무 약해. 좀 더 세게…

하는데, 우성이 트림을 한다.
소영, 자랑하듯 웃는다.

동수 엄청 잘한 거 아니거든. 다른 엄마들에 비해 보통이야.
소영 보통이면 잘한 거거든요…

동수는 다 마신 분유병을 씻으러 간다.

동수 바로 안 씻어두면 세균 때문에… 솔이 어딨더라. 스펀지 솔이… 아 여깄다.
소영 좋은 아빠네요.

동수 직접 해볼래?

소영 그냥 부탁드립니다.

동수 너… 일부러 우성이 안 돌보는 거지?

소영 뭐?

동수 너무 보살피다가는 못 헤어질 것 같으니까?

소영, 웃는다.

동수 왜?

소영 그러다간 당하기 딱 좋아, 여자한테.

동수 아 왜 형이랑 똑같은 말을 하고 그래.

그때, 소영의 휴대폰에 메시지가 도착한다.
몰래 이름만 확인하고 바로 휴대폰을 엎어놓는 소영.
소영, 일어선다.

동수 왜? 편의점 가려고? 내가 갈까?

소영 여자한테는 남한테 부탁 못하는 물건도 있습니다.

동수 비 올 것 같은데. 우산 갖고 가.

소영 비 오면 데리러 와 줄래?

동수 ……

소영 우산 가지고.

동수 싫어.

소영 다녀올게요~

살짝 생각에 잠기는 동수.

#86. 삼척의 모텔, 옥상, 밤

이 형사 '엄마'라고 부르는 그 사람이랑은 어디서 만났어요?

소영 가출하고 항구에서 자고 있는데, 배고프면 오라고 하더라고.

이 형사 성매매 강요받았죠…?

소영 나 지금 불쌍하게 보는 거야?

이 형사 아니, 그게 아니라…

소영 나 '엄마'랑 만나기 전부터 했는데?

이 형사 그럼 왜 죽인 거예요?

소영 딱히 뭐… 그냥 욱해서.

이 형사 욱해서?

소영 샤워도 하기 전에 핥으라고 하니까.

소영, 히죽 웃는다.

이 형사 그전에 먼저 상대방이… 그러니까 정당방위 같은 그런…
소영 다른 고객 리스트도 알고 싶으면 알려줄 수 있는데.
이 형사 협박당했다던가… 폭력을…
소영 그쪽 무슨 과?
이 형사 여성청소년과입니다.
소영 아~ 남자들이 가기 싫어하는? (웃음) 당신 상사도 있는데, 손님 중에.
이 형사 지금 그 얘긴 됐고요. 내가 알고 싶은 건 당신이 왜…
소영 이거 취조예요? 아니면 설교? 말씀하신 대로 아기는 팔거니까 걱정 마세요.
이 형사 이해하고 싶어서 그래요. 어째서 당신이 그런…
소영 당신 따위가 이해할 수 있을 리가 없잖아.
이 형사 돕고 싶어. 나도 팀장님도…
소영 돕는다고? (웃음) 애 버린 적 있어? 사람 죽인 적은?

수진이 참지 못하고 끼어든다.

수진 그래 그럼 말해봐. 이해 못하겠으니까.
왜 버린 거야? 그것도 교회 밖에다가.
소영 (생각하며) 본 거야?
수진 그래. 그대로 뒀으면 죽었을 거야.
소영 두 번 다시 만날 생각 없었으니까.
수진 그럼 왜 낳았어? 키우지도 못할 거면서.
소영 ……지웠어야 했다는 건가?
수진 아기를 생각하면 그런 선택지도…
소영 낳고 나서 버리는 것보다 낳기 전에 죽이는 게 죄가 더 가볍다는 거야?
수진 (순간 주저한다.) 아무도 원치 않는데, 태어나봤자 아기만 불행…

소영이 수진에게 달려든다.
셔츠 단추가 하나 떨어진다.

소영 낳기 전에 죽여야 한다고, 너 우성이 앞에서 한 번 지껄여봐.
수진 스스로 버릴 땐 언제고 뭐래는 거야?

이 형사가 말린다.

이 형사 그만해.

수진 당신… 나 같은 형편없는 엄마보다 더 좋은 사람 밑에서 자라는 게 어차피 아기도 행복할 거다 생각했겠지만, 그거 본인 스스로에 대한 변명이야.

#87. 수진의 차, 밤

생각에 잠긴 수진.
목덜미의 반창고를 백미러로 살펴본다.
떨어진 셔츠 단추가 신경 쓰인다.
가랑비가 내리고 있다.
근처 가게에서 음악이 흘러나오고 있다.
수진, 창문을 조금 연다. 에이미 만의 'WISE UP'이 들린다.
남편에게 전화를 거는 수진.

수진 저기… 나 옷 좀 들고 와 줘. 단추가 떨어졌어.
선호 그래. 어딘데?
수진 울진.
선호 너무 멀다 야.
수진 그치?…
선호 아니 뭐 꼭 필요하다고 하면…
수진 괜찮아… 이거 들어봐, 이 노래…

수진은 창문을 내리고 휴대폰을 든 손을 내밀어 가게 쪽으로 가까이 댄다.

수진 기억 나? 같이 봤던 영화에서…
선호 (음악을 듣고는) 아~ 하늘에서 개구리 쏟아지던 그 영화…
수진 맞아… 막상 현실에선 생각대로 잘 안 되겠지만…
선호 그렇지… 기껏해야 비나 눈이지… 아 쌀도 있다.
수진 쌀? 아~ 결혼식 같은 데.
선호 일이 잘 안 풀리는구나.

수진, 이 형사가 신경 쓰인다.
이 형사, 일부러 자는 척한다.

수진 아냐, 그런 거. 미안…
선호 뭐가?
수진 그냥.
선호 사실 사과는 내가 해야 되는데…
수진 왜?
선호 그 흰옷… 세탁소에서 찾아왔는데 색이 변했더라…
수진 뭐? 진짜야?

선호 뭔가 얼룩덜룩한 게 흰색이랑 청색이 합쳐져서 느낌은 괜찮아.
수진 괜찮긴 뭐가 괜찮아. 아 빨리 휴대폰으로 사진 보내봐.

수진, 화내고 있지만 즐거워 보인다.

#88. 삼척의 모텔, 실내, 밤

소영, 해진, 동수, 상현 순으로 이불을 깔아 놨다.
동수는 분담표를 보고 있다.

동수 엥? 형 괜찮겠어? 새벽 4시부터 6시.
상현 응? 아아... 어쩌다 한 번인데 뭐.
동수 일어날 수 있겠어?
상현 사람을 왜 노친네 취급하고 그래.

상현은 해진에게 단추 잘 다는 방법을 가르쳐주고 있지만, 해진은 전혀 흥미가 없다.

상현 이렇게 겉에서 안으로 바늘을 찔러서... 여기 좀 봐, 해진아. 그래서 단추 밑 아래에 실을 이렇게 감아주면...

동수가 냉장고에서 맥주 한 병을 꺼내어 선반 모서리로 뚜껑을 딴다.
뚜껑 따는 광경에 반하는 해진.

해진 동수 형, 방금 그거 가르쳐 줘.

동수, 이번에는 맥주 두 병을 뚜껑끼리 서로 겹치게 해서 딴다.
해진, 존경의 시선으로 바라본다.

상현 (해진에게) 이렇게 하면 잘 안 떨어지지. 이제 한번 해 볼래? (단추 달기)
해진 됐어요... (동수에게) 내일 만나는 사람은 어떤 사람일까?
상현 그야 부자겠지. 4000만 원 턱 하고 내놓을 정돈데.
동수 3000이야.
상현 아... (실수할 뻔했다.) 참, 3000이지 3000.
동수 어떤 사람이면 좋겠어?
해진 소영 누나처럼 예쁜 사람...

상현　　동수 너도 좀 배워라. 남자가 이 정도 빈말은 티 안 나게
　　　　해 줘야지.
동수　　한 수 배웠습니다... 사부님.
소영　　(드라이기로 머리를 말리며) 뭐? 잘 안 들렸어.

소영, 드라이기를 끈다.

상현　　옛날부터 장남은 엄마, 장녀는 아빠를 닮는다고 하잖아.
　　　　우리 집은 망했어.
동수　　괜찮아. 같이 안 살잖아.

상현, 동수를 때리는 시늉을 한다.

소영　　미신이야 그런 거.
동수　　아 (소영에게) 장녀구나?
소영　　시끄러.
상현　　난 우리 엄마랑 붕어빵인데.
　　　　옛날 엄마 사진 볼 때마다 가끔씩 난 줄 착각하고 그래.

그 모습을 상상하고 다들 웃는다.
해진이 일어선다.

동수　　왜? 화장실 가려고?
해진　　응.

어른들만 남는다.

동수　　저 녀석도 부모 얼굴 모르지 참...
상현　　그냥 모르고 사는 게 (다행이다)... 그런 경우도 있긴 해.

상현이 단추를 단 셔츠를 소영에게 건넨다.

소영　　?
상현　　떨어질락 말락 하더라고, 단추.

소영, 단추를 만진다.

소영　　우성이도 내 얼굴 따위 모르는 편이 나을 거야...
동수　　어째서?
소영　　살인자니까.

동수, 소영을 쳐다본다.

상현　살인?
소영　응.
동수　누구를?
소영　우성이 친부…

상현과 동수, 서로 얼굴을 마주 본다.

동수　우성이?
소영　이런 건 태어나지 말았어야 했다고…
　　　그래서 우성이를 뺏으려 하길래…
상현　…뭐…
동수　……
소영　아마 지금쯤 그쪽 와이프가 날 쫓고 있을 거야.
상현　(뭔가 돌아가는 상황이 앞뒤가 안 맞는다.)

#88A. 수진의 차

일어나는 이 형사.
수진이 돌아본다.

수진　지금 친부라고…
이 형사　네… 들었습니다…

다섯째 날

#89. 삼척의 모텔, 뒷문, 이른 아침

우성을 안고 나오는 상현.
휴대폰으로 전화를 건다.

상현　…지금 모텔에서 나왔습니다… 네… 아 그리고 저기…

#90. 삼척의 모텔, 주차장

상현, 차에 올라탄다.

상현　궁금한 게 있습니다만…
동수　형.

깜짝 놀라서 돌아보는 상현.
짐칸에 동수가 앉아있다.
전화를 끊는 상현.

상현　너 뭐하냐 여기서...
동수　어제 소영이가 한 말이 좀 걸려서 살펴봤더니... 이거...

동수는 GPS를 보여준다.

상현　어디서 찾은 거야?
동수　여기서.
상현　경찰인가?
동수　요새 경찰은 이런 올드한 아이템 안 쓰지.
상현　그럼... 그... 계속 따라오고 있었다는 얘기네.
동수　그렇지 않을까? 그 친부 쪽...

상현의 휴대폰에 전화가 들어온다.
전화를 끊어버리는 상현. 바깥을 신경 쓴다.

동수　안 돼.
상현　뭐가?
동수　소영이 여기 두고 갈 생각이잖아.
상현　그거야... 소영이도 원하는 바고 하니까...
동수　걔도 본심은 같이 가고 싶을 거야.
상현　그럴지도 모르지.
동수　이번에는 돈이 아니라, 소영이가 납득할 만한 구매자로 우리가 같이 찾아주자.
상현　얌마, 암만 나라도 돈이 다는 아니다.
동수　그럼 다행이지만. 그냥 그 말은 하고 싶었어.
상현　그래... 알았다...
동수　(GPS를 손에 들고) 이건 내가 알아서 처리할게.

두 사람, 주먹을 맞잡는다.
동수는 차에서 내려서, 농구 슛을 날리는 포즈를 취한다.
GPS를 붙일 차량을 물색하는 동수.
그러자, 상현의 휴대폰이 또다시 울린다.
상현, 조수석으로 이동해서 커튼 사이로 앞쪽을 바라보면,
사채꾼들 차량으로 보이는 차가 길가에 서 있다.

상현　(작은 소리로)... 네. 아니, 나 다 들었습니다...
우성이 친부는 죽었다고... 맞죠? 그럼 대체 누가... 어떻게 할 생각인 겁니까? 키운다고? 말 같지도 않은 소리 하지 마.
(큰 소리를 낸다.) 외국으로 팔아넘길 속셈이야? 나 그럼 안 팔아.

남자2가 주차장으로 들어온다.
우성이 울음을 터뜨리고, 당황한 상현이 우성이 입을 막는다.
상현을 발견하고 차 문을 열려고 하는 남자2.
그때, 동수가 돌아와서 격투를 벌인다.
상현도 창문을 열어 남자2를 꽉 누른다.
동수가 남자2를 물리친다.
상현, 차에서 내린다.

상현　　콱 그냥… 한 입 거리도 안 되는 게.

상현, 발끝으로 남자2를 쿡쿡 찌른다.

동수　　이 자식, 어제 소영이가 얘기했던…?
상현　　그래…
동수　　어떡할까?
상현　　어떡하긴 무슨…

두 사람, 남자2를 주차장 구석으로 옮긴다.

#91. 수진의 차

남쪽으로 달리고 있는 수진 일행의 차.
생각보다 일찍 출발하는 바람에 둘 다 잠에서 덜 깬 모습이다.
상현의 차는 시야에서 보이지 않는다.

수진　　어디쯤이야? 지금.
이 형사　　그게 저희랑 많이 떨어져서… 남쪽으로 향하고는 있는데요…
앞으로 5킬로 정도면 따라잡을 수 있을 것 같습니다.
수진　　속도 좀 내 봐. (소영에게 연락한다.) 방심했어.
이 형사　　연락이 안 돼요? 아, 차가 멈췄어요. 휴게소로 들어갔습니다.

#92. 고속도로 휴게소

차에서 내려, 상현의 차를 찾아 헤매는 수진 일행.
그러다 다른 차에 붙어있는 GPS를 발견하는 이 형사.

이 형사　　여기 있네요…

수진 (소영에게서 연락이 온다.) 강릉에서 KTX 탄다는데?
*시 *분 출발, 서울행 기차.
이 형사 (시계를 보며) 제때 도착 못 할 것 같은데요.

두 사람, 차에 올라탄다.

#93. 강릉역

주차장에 차를 세운 상현 일행.

해진 KTX, KTX~

주차장에 줄지어 서 있는 차들 사이로 보였다 안 보였다 하며,
네 사람은 일렬로 줄을 지어 역으로 이동한다.

해진 해진호야 잘 있어~

그때, 타고 왔던 차의 뒷문이 벌컥 열리는 바람에, 동수가 다시 차로 간다.

동수 눌러서 왼쪽으로~

차 문이 닫힌다.
'수고했다~' 하는 느낌으로 차를 톡톡 두드리고는, 일행을 쫓아가는 동수.

#94. 강릉역, 승강장

에스컬레이터에서 내려서 열차에 올라타는 상현 일행.

#95. 수진의 차

수진 왜 일부러 가르쳐 준 걸까?
이 형사 행선지를요?
수진 응.
이 형사 ......
수진 우리가 따라와 주길 원하는 거 아닐까...
이 형사 우성이를 뺏기지 않으려고... 말입니까?
수진 응. 그 정도는 생각할 애야.

수진은 소영에게 '거래는 내일로 미뤄'라는 메시지를 보낸다.

#96. KTX, 열차 안, 문 앞

자판기에서 음료수를 사 와서 소영에게 한 개를 건네는 상현.

소영　괜찮겠어?
상현　내가 쏘는 거야.
소영　그 말이 아니라.
상현　뭐 여차하면 그냥 나 혼자 갈 거야.
소영　그 편이 혼자 독차지할 수도 있고?
상현　무슨 말을 그렇게… 어디까지나 우성이의 행복을 위한 거야.
소영　괜찮아, 그렇게 해도. 다만 할부로 하자는 사람들만 좀 피해 줘.
맛있네, 이거. 뭐야?
상현　소영아…
소영　?
상현　너 혹시… 박스에 우성이를 넣은 건… (생각한 후) 그러니까 정말로 데리러 올 생각이었던 거야?
소영　(고개를 가로젓는다.)
상현　…아니라고?
소영　몰라… 그치만… 조금만 더 일찍… (당신들과 만났더라면, 버리지 않아도 됐을 텐데…)

뒷말은 기차 소리에 묻혀 들리지 않는다.

상현　……(아직 늦지 않았어.)
소영　응? 뭐라고?

하는데, 해진이 다가온다.

해진　혼자만 소영 누나 독차지하고 너무해.
상현　그래그래. 자 그럼 바통 터치.

그렇게 말하고 상현은 동수의 옆자리로 간다.
소영과 해진, 둘만 남겨진다.

해진　누나는 어떤 타입 좋아해?
소영　응? 해진이처럼 마음 따뜻한 남자…

해진, 살짝 쑥스러워한다.

소영　　해진이… 참 좋은 이름이다. 나 네 이름 좋아. 바다로 나아간다는 뜻이잖아.
　　　　어른이 되면 분명 외국에서 일하게 될 거야.
해진　　프리미어 리그일 수도 있겠다.
소영　　그래… (잘 모른다.)
해진　　토트넘이면 좋겠다…
소영　　뭐? 토트…?
해진　　축구 축구.
소영　　아~
해진　　우성이라는 이름은 누가 지어준 거야?
소영　　내가.
해진　　좋겠다. 무슨 뜻인데?
소영　　날개 우 자에 별 성. 멀리멀리 갔으면 좋겠다는 뜻. 해진이가 바다라면 우성이는 하늘 너머… 저기, 별까지 이렇게 (날개를 파닥거리는 몸짓)
해진　　우주비행사?
소영　　아님 파일럿?
해진　　나랑 형제 같다.
소영　　그러네.

소영, 흘러가는 하늘을 창문 너머로 올려다본다.

#97. KTX (공중촬영)

상하선이 갈라진다.

#98. KTX, 열차 안

꾸벅꾸벅 졸다가 눈을 뜨는 상현.
다들 피곤해서 자고 있다.
동수도 눈을 뜬다.

상현　　꿈꿨다… 옛날 일…
동수　　좋은 꿈? 나쁜 꿈?
상현　　우리 딸이랑 마누라랑 엄마랑 넷이서 이거(KTX) 타고, 월미도 갔던 꿈…
동수　　좋은 꿈이네.
상현　　아니… 그렇지도 않아.
동수　　또 가면 되지.
상현　　계약 성공하면 우선 이자는 갚을 수 있으니…
　　　　일단 목숨은 건졌고… 넌?
동수　　나는 형 가게 옆에 코인빨래방 낼 거야.

상현, 동수를 힘없이 때리는 시늉을 한다.

동수　　형, 가게 망하면 내가 받아줄게.
상현　　그래... 부탁한다 진심으로.

#99, #100, #101 결번

#102. 서울역

승강장에 내리는 상현 일행.
상현, 어딘가 전화를 건다.

상현　　죄송합니다만... 약속 시간을 2시간 당겨서 12시에 뵀으면 합니다만, 괜찮을까요? 저희가 좀 급해서...

다 함께 택시 승강장으로 향하는 상현 일행.

#103. 택시, 차 안

조수석에 앉아있는 상현.
뒷좌석에는 동수와 해진, 소영이 앉아있다.

우성은 소영에게 안겨있다.
동수는 까치집을 지은 상현의 머리를 고쳐준다.

운전수　그 호텔은, 우리 딸 결혼식 때 딱 한 번 가봤는데, 아 그 소파가 말이지,
이렇게 앉으면 몸이 쑥 들어가서리... 거 참 불편하더라고.
손님들은 오늘 무슨 일로 거기 가시나?
상현　　아... 선 (비슷한 걸) 보러...
운전수　선?

운전수는 뒷좌석을 한번 돌아보고는, 동수와 소영은 부부고,
선을 보는 당사자는 상현이라 오해한다.

운전수　아~ (상현을 보며) 그, 여자는 말이지, 얼굴이 다가 아니야.
거, 나이도 꽤 되어 보이는데 너무 많은 걸 바라지 말고...
오케이?
20년 후에는 전부 그냥 똑같은 할마시들이야.
상현　　맞는 말씀입니다~

뒤에 앉은 세 사람은 웃음을 참느라 죽을 지경이다.

#104. 호텔, 스위트룸, 낮

어색하고 불편한 듯이 앉아있는 상현 일행.

상현　오늘 주인공은 우성이다. 알았지?
해진　나도 같이 입양 제안 좀…
상현　안 돼. 절대로.

그때, 고급 양복을 입은 윤씨가 다가온다. 그 뒤로 따라오는 윤씨의 아내.

윤씨　(상현 일행에게 머리를 숙인다.) 이렇게 저희들 부탁을 들어주셔서 정말 감사드립니다. 아버님이신가요?
상현　아뇨 아뇨… 저희들은… 뭐랄까 선의로 이 일을 하고 있는…
윤씨　아, 브로커 분이시군요.
상현　아니죠. 큐-(큐피드라고 하려다 말을 삼키고) …그러니까, 중매인 같은 거죠.
윤씨　사실 이미 말씀드렸지만 아내가 사산을 하게 됐고… 이젠… 다음을 생각하기가 그래서…
상현　많이 힘드셨겠습니다…(하며 윤씨 아내에게 말한다.)
윤씨 아내　여자애고, 이름은 연아라고 지어줬습니다… 이 사람을 닮은 귀여운 아이였는데…(조금 울먹거린다.)
윤씨　일단 앉으시죠. 커피라도… 아, 아이스커피로 할까요?
윤씨 아내　좀 안아 봐도 될까요?
소영　네.
윤씨　(프런트에 연락) 아 죄송합니다만 룸서비스 부탁합니다. 아이스커피를 1, 2, 3… 그리고 (해진에게) 콜라? 주스? 콜라를 하나…

소영이 우성을 건넨다.
윤씨 아내는 우성을 사랑스러운 듯 안는다.
우성이 울음을 터뜨린다.

윤씨 아내　아이구 뭐가 불편하실까? 괜찮아 안 무서워~
상현　배가 고픈가? 분유를…

소영, 분유 탈 준비를 하려고 한다.

윤씨 아내　저… 괜찮으시면 제가 젖을 좀 물려 봐도 될까요…?
상현　아… 네… (소영을 보여) 괜찮지…?
소영　(당혹스러워하며 고개를 끄덕인다.)

윤씨 아내 고맙습니다.

윤씨 아내는 뒤돌아 앉아 젖을 물린다.

윤씨 아내 우성아… 여보 이것 좀 봐요(하며 돌아본다).

전화를 끊은 윤씨가 아내 옆으로 서둘러 간다.
두 사람의 기쁨의 탄성이 들린다.
두 사람의 뒷모습을 바라보고 있는 소영.
무의식적으로 자신의 가슴 쪽에 손을 갖다 댄다.
그런 소영이 신경 쓰이는 동수.

윤씨 사실은… 메일에는 제가 안 썼습니다만, 한 가지 제안이 있습니다.
소영 ……
윤씨 장래를 생각해서… 우성이를 친자식으로 키우고 싶습니다.
그러니 이걸 마지막으로 우성이가 친엄마와 만나는 일은 없었으면 합니다.
소영 ……
동수 ……

윤씨 어떻습니까… 오늘 밤에 한 번 천천히 생각해 보시고…

#105 결번

#106. 버스, 오후

음악 IN.

버스에 올라타서 2층으로 올라가는 네 사람.
인천시티투어버스를 타고 유원지로 향한다.
다 함께 2층에 앉아 있다.
상현은 외국인 커플의 사진을 찍어주고 있다.
모노레일 쪽을 향해 손을 흔드는 소영과 해진.

동수 망설이고 있는 건가? …소영이.
상현 막상 애를 판다고 하니까 기분이 그런 건 알겠는데…
곧 덤덤해질 거야.
동수 소영이는 두 번 다시 만나면 안 된다는 조건이 걸리는 거 아닐까?
상현 야, 그럼 이런 패거리들이 애를 데려오는데 내가 부모라도 그랬을 거다.

소영　그게 아니라, 우성이가 나중에 크면 어떻게 생각할지가…
상현　친부모를 만나고 싶어 할까 봐? (아니야 안 그래 하는 표정)
소영　응. 만나서 불평 한마디 정도는 하고 싶어 할 것 같아. 왜 버렸냐고.
상현　자길 버린 부모, 잊고 살고 싶지 않을까?
동수　어떤 상황의 부모라도… 그래도 만나고 싶은 건 만나고 싶은 거야.
상현　해진이 넌? 친부모와 만나보고 싶어?
해진　난 이왕이면 손흥민이랑 만나고 싶어…
어른들　……

#107. 월미도 유원지

유원지로 들어가는 5명.

#108. 월미도 유원지, 사진관

증명사진 기계 박스 안에 들어가서 다 같이 기념사진을 찍는다.

#109. 유원지, 사격장

인형을 득템 하는 상현.

#110. 유원지, 관람차, 타는 곳

해진, 솜사탕을 손에 들고 뛰어간다.

상현　너 그러다 떨어뜨린다. 야, 너 앞에 똑바로 봐!

음악 OUT.

#111. 유원지, 관람차, 안

관람차 안 상현과 해진.

상현　저기서 축구 한다~ 저기 봐, 해진아.
해진　……응.
상현　왜 그래? 한번 봐봐.
해진　나 높은 데 싫어해… 무서워서.
상현　뭐? 니가 타고 싶다고 그랬잖아!

해진　　그때는 뭔가... 그냥

상현　　그냥이라니... 너 얼굴빛이 왜 그래? 괜찮아? 여기서 토하면 안 된다.

상현은 호주머니 안을 뒤져보지만 아무것도 없다.
해진은 솜사탕을 든 채 눈을 감고 상현에게 안긴다.

해진　　밑에 도착하면 알려줘.

상현　　그래... 알았으니까 토하지 마라.

해진　　알았어. 안 토할게...

하면서 입을 꼭 다무는 해진.

상현　　모처럼 데려와서 뭐 좀 잘해주려 했더니만...

해진　　그럼 나 거기 데려가 줘요. 세차!

상현　　세차?

해진　　응. 거기 너무너무 좋아.

상현　　그럼 내일 일 잘 되면 또 가자.

해진　　약속이야.

상현　　그래, 약속 약속.

두 사람, 서로 꼭 끌어안고 있다.

#112. 다른 쪽 관람차

소영과 동수.

동수　　앗, 저기서 축구 한다.

소영　　근데... 토트 뭐더라? 그거 뭐야?

동수　　토트?

소영　　응... 아냐 됐어...

동수　　해진이는 재능 없어. 축구 선수...

소영　　꿈이 있는 것만으로도 행복하지.

동수　　이루어지지 않아도?

소영　　이루어지지 않는 게 나을지도...

동수　　좀 더 찾아볼까?

소영　　응?

동수　　관둘래? 입양 보내는 거.

소영　　......

동수　　지금이라면 아직 관둘 수 있어.

소영　　(고개를 가로젓는다.) 그래도...

동수　　정 뭐하면 우리가 키우면 되지.

소영 우리? (셋이서 라는 말을 살짝 기대한다.)

동수 그러니까... 네 명이서... 해진이까지 데리고 다섯 명도 좋겠다.

소영 이상한 가족이네. 누가 누구 아빠야?

소영, 피식 웃는다.

두 사람, 나란히 먼 곳을 바라본다.

동수 ...내가 우성이 아빠 하지 뭐.

소영 보통 그 말은 프러포즈할 때 하는 말인데.

동수 그런가?

소영 그렇게 다시 시작할 수 있으면 좋겠다... 그래서... 우성이가 어른이 되고...

나도 남들이랑 똑같은 할마시가 되고....

동수 좋다... 평범하고...

소영 근데 어려울 거야. 난 이제 곧 체포될 거니까.

부산의 성매매 여성 문 모 씨가 남자를 죽이고 달아나던 중, 아기가 방해가 되자 베이비박스에 버렸다...

동수 이렇게 나오나? (하며 소영의 눈을 자신의 손으로 가린다.)

소영 요즘엔 모자이크 같은 거 안 하거든.

동수 그런가?

소영 ...지금 살짝 흔들렸지?

동수 괜찮아. 지금 제일 꼭대기야.

소영 아무것도 안 보이니까 훨씬 더 무섭다. 이상하게.

동수, 소영을 물끄러미 바라본다.

손으로 가린 손가락 틈으로 소영의 눈물이 흐른다.

동수가 손을 떼려는데, 그 손을 소영이 잡고 꾹 누른다.

동수 널 보면 내 마음이 조금은 가벼워지는 것 같다.

소영 어째서?

동수 우리 엄마도... 어쩔 수 없이 날 버려야 했던 이유가 있었겠지 싶어서.

소영 혹시 그렇다고 해도... 엄마를 용서해 줄 필요는 없어.

형편없는 엄마라는 사실은 변함없으니까.

동수 응. 그래서 대신 소영이 널 용서할게.

소영 (고개를 흔든다.) 우성인 분명... 날 용서하지 않을 거야...

동수 우성이를 버렸던 건... 살인자의 아이로 키우고 싶지 않아서잖아.

소영　그래도 버린 건 버린 거야...

#113. 수진의 차

대화를 듣고 있는 수진과 이 형사.

수진　애를 제일 팔고 싶었던 사람은 나였나 봐...

수진, 쓸쓸한 듯 웃는다.

이 형사　네... 우리 쪽이 오히려 브로커 같아요.

두 사람, 얼굴을 마주 본다.

#114. 카페, 가게 안, 밤

테이블에 앉아 있는 상현과 교복 차림의 여학생.
윤아(15), 상현의 딸이다.
딸 앞에는, 유원지에서 득템 한 인형이 놓여 있다.
수진은 상현에게 등을 보인 자세로 앉아 있다.
상현은 딸의 학원 공책을 넘겨보고 있다.

상현　그 해진이란 애가 말야... 아빠 여기를 이렇게 꼭 잡고 매달려서는...
왜 너도 옛날에 똑같이 그랬잖아.
윤아　기억 안 나. 나 그때 3살이었어.
상현　그래? ... 그렇게 옛날이구나. 와~ 벌써 이런 어려운 문제를 푸는구나.
윤아　(휴대폰을 본다.)
상현　응? 누군데?
윤아　엄마...
상현　받아. ...문자야? 답장해 줘. 셀카 찍어서 보낼까?
(하며 활짝 웃는 표정을 짓는다.)
윤아　아니 됐어.

종업원이 딸기 팬케이크를 가져온다.
상현, 표정을 원래대로 되돌린다.
윤아, 주스를 마신다.

상현　아빠 내일... 큰돈 들어와. 그래서 말이다... 다시 부산에서 우리 셋이서...
아니다, 아빠가 서울로 와도 되고...

윤아 돈은 됐으니까, 이제 연락하지 마세요(하며 머리를 숙인다.)
상현 ……
윤아 라고 엄마가 그랬어.
상현 아 엄마구나… (살짝 안도한다.)
윤아 근데 정말로 이제 집에는 오지 말래.
상현 그래. (머리를 숙이며) 그땐 좀 취해서. 이것 봐, 빨대가 하트 모양이다.
윤아 있지… 곧 아기가 태어날 거야…
상현 응? …아기? …엄마가?
윤아 (고개를 끄덕인다.)
상현 (그렇구나…)
윤아 남자애야.
상현 그렇구나… 그럼 뭐… 저기… 축하한다고 엄마한테 전해줘……

수진, 등 뒤로 대화를 듣고 있다.
윤아가 일어선다.

윤아 미안.
상현 그래도 말이지… 아빠는 앞으로도 계속 윤아의 아빠니까…
윤아 (싫은 표정) …그럼 갈게.
상현 그래…… 또 보자.
수진 ……

등을 마주하고 앉아있는 상현과 수진.
그 둘만이 남는다.

상현 미안이라…

#115. 거리

인형을 손에 들고 걸어가는 상현. 그 뒤를 쫓는 수진.
수진, 아동복 가게 앞에서 한순간 쇼윈도에 정신이 팔려, 상현을 놓친다.
정신 차려 보면, 어느새 수진의 뒤에서 걷고 있는 상현.
수진, 등 뒤를 신경 쓰며 걷는다.

#116, #117 결번

#118. 호텔, 침실

호텔 직원에게서 룸서비스를 받아 드는 상현. 신난 표정.

상현　　와인 추가하고 싶은데... 레드로. 감사합니다...

소영이 분유를 다 먹이고는 세면대로 향한다.
해진은 목욕 가운 차림이다.

상현　　스테이크 스테이크~ 뭐 어쨌든 간에, 내일의 성공을 기원하며...

상현, 혼자서 건배한 후 맥주를 원샷한다.
동수는 아기 욕조의 공기를 빼고 있다.

해진　　(우성에게) 해진이 형~ 해 봐, 해진이 형~ ...어 지금 했어. 해진이라고.
상현　　잘도 그러겠다.
해진　　(우성에게) 그랬지 맞지?
동수　　그래 맞아 그랬어. (흉내 내며) 해진이 형... 해진이 형...
해진　　우성아... 우리 까먹으면 안 돼.
상현　　까먹고 싶을걸.
동수　　해진이가 기억해주면 되는 거야. 우성이 몫까지.
상현　　이 자식 가끔씩 꼭 이렇게 재수 없어요.
소영　　(세면대 쪽에서) 완전 동감...
해진　　오늘 너무 재미있었다... 우성아, 나 절대 안 까먹을게.

소영, 세면대에서 돌아온다.

상현　　소영이 넌 우성이한테 말을 안 걸더라.
소영　　아닌데.
동수　　아냐... 본 적이 없어...

다들, 끄덕인다.

상현　　마지막으로 우성이한테 한마디 해 줘.
소영　　뭐라고 해.
상현　　뭐든. 태어나줘서 고맙다~라든지. (가벼운 말투)
소영　　그렇게 생각하고 있어.
상현　　말로 해야지...
소영　　어차피 못 알아듣는데 뭘.
상현　　못 알아들어도... 태어나서 단 한 번이라도 그런 말을 들은 적이 있다면 잘 살아갈 수 있을 것 같은 느낌이 들어서 그래.

소영　　......
해진　　......
동수　　......

그러고 보니 다들 그런 말을 들어본 기억이 없다.

해진　　그럼 우리 모두에게 말해 줘.
소영　　모두...? (하며 눈앞의 남자들을 둘러본다.) 이 모두...?
상현　　야 이놈아 뭔 바보 같은 소리야? 쑥스럽게... 난 패스.
동수　　뭐야, 자기가 말 꺼내놓고.

동수는 다 접은 아기 욕조를 가방에 집어넣는다.

해진　　그럼 나도 패스...

해진이 말은 그렇게 했지만 사실은 그 말을 제일 듣고 싶어 하는 걸 소영이 알아차린다.

소영　　...알았어 말해줄게. 다들 눈 감아.
동수　　잠깐만! 불 꺼야지.
상현　　야 불을 끄면 스테이(크)...

동수, 불을 끈다.

소영　　자 시작합니다... 해진아, 태어나줘서 고마워... 동수야, 태어나줘서 고마워...
상현아, 태어나줘서 고마워... 우성아... 태어나줘서... 고마워...

남자 3명이 모두 눈을 감은 채, 소영의 목소리를 자신의 엄마 목소리라고 생각하며 듣는다.

해진　　소영아...
소영　　응?
해진　　소영이도 태어나줘서 고마워.
소영　　......

상현이 당황해서 벌러덩 누워 모두에게서 등을 돌린다.

상현　　그냥... 이대로 자자. 다들 잘 자라.

상현의 뒷모습을 바라보는 동수.

동수　　잘 자...

상현의 자는 얼굴.

*　　*　　*　　*

동트기 전.
불이 꺼진 실내에서 휴대폰에 연락이 들어오고, 소영이 답장을 보낸다.
그런 미미한 소리를 눈을 감은 채 듣고 있는 상현.
소영이 일어나서 방을 나간다.
눈을 뜨는 상현.
상현은 우성에게 다가가, 소리 없이 우성을 안아 올린다.
문으로 향하는 상현.
상현이 돌아보면, 동수가 일어나 있다.

동수　　어디 가?
상현　　......
동수　　소영이도 없네.
상현　　소영이는 아마 지금쯤 밖에서 형사랑 만나고 있을 거야.

잠시 침묵.

상현　　GPS도 형사 짓이야... 분명.
동수　　소영이가 미끼였다는 거야?
상현　　뭐 그런 셈이지. 우리가 체포되는 대신, 소영이 죄목이 좀 가벼워지겠지.
동수　　소영이는 우릴 팔아넘길 애가 아니야.
상현　　팔아넘길 거야. 우성이를 위해서는 뭐든지 하는 애지...
동수　　......
상현　　근데 그래도 돼. 너도... 부모가 돼 보면 알게 될 거다.
동수　　그럼 차라리 이대로 우리가 키우자...
상현　　안 돼. 더 이상 우성이는 우리랑 엮이면 안 된다니까.

창밖을 바라보는 동수.

동수　　우리를 팔아넘기면 소영이는 다시 시작할 수 있는 걸까?
상현　　그래...... 어쩌면...... 우성이랑......

#119. 수진의 차

소영　　내일 체포되기 전에 꼭 해두고 싶은 말이 있는데...

수진　?
소영　우성이 살려주셔서 감사했습니다.
소영　박스 안에 우성이 넣어 준 사람, 형사님이죠? 아무리 생각해도 형사님 밖엔 없어서.
수진　(고개를 가로젓는다.) 난 그냥 우성이를 팔려고 그랬던 거야.
살리고 싶어서 그런 게 아니라고. 그러니 감사받을 자격 없어.
소영　솔직하시다.
수진　......

그때, 최 형사가 차 안에 올라탄다.

소영　?
최 형사　형사과 최범석입니다.
수진　당신은 여기서 자수한 걸로 하자.
소영　뭐?
수진　우성이는 팔려 가지 않아도 돼.
소영　뭐야. 팔라고 했다가 팔지 말라고 했다가...
최 형사　아기는 그 남자들 둘이서 팔게 하라는 얘기지.
소영　또 그 둘, 배신하라는 거네요...
최 형사　신경 쓰지 마. 기껏해야 브로커 나부랭인데.
수진　당신, 그 두 사람이랑 같이 우성이 키우고 싶은 거야?
소영　난 우성이를 오늘 만난 윤씨 부부한테 넘겨주고 싶어요.
수진　뭐?
소영　우성이는 버려진 아이가 아니라... 선택받은 아이라고...
그렇게 매일 얘기해주면서 키울 거라고... 그 사람들 그렇게 말했어요.
수진　......
소영　우성이는 그런 부모 밑에서 크게 하고 싶어요.
그러면 나처럼 살지 않아도 되니까.
수진　불법이야. 이 입양은... 인정이 안 돼. 미안하다...
소영　법이라는 게 그렇게 중요해요...?
수진　미안해. 그게 우리 일이야.
소영　그럼 우성이는 어떻게 되는 거예요?
최 형사　상해치사 정도면, 잘하면 3년 만에 가석방 받아.
소영　네?
수진　그럼 다시 우성이랑 같이 살 수 있어.
소영　내가... 우성이랑...

#119A. 길

상현과 동수가 나란히 걸어가고 있다.
둘 다 아기를 안고 있다.
뒤에서 해진이 쏙 얼굴을 내민다.
동수와 해진은 다른 방향으로 걸어가고,
상현만이 남는다.
그 모습을 지켜보며 수진에게 연락하는 이 형사.

이 형사　아기가 두 명이에요.

이 형사, 상현을 뒤쫓는다.

#120. 광장, 동트기 전

우성을 안고 걸어가는 상현.
바람이 불어 흙먼지가 날린다.
문득 고개를 들면 사채꾼이 앞에 서 있다.

상현　거기 돈 내려놔. 아기는 여기 내려놓을 테니까.

남자2가 돈을 내려놓는다.
상현도 발밑에 우성을 내려놓는다.
우성이 울음을 터뜨린다.
둘은 마주 보며 걸어가서, 서로를 지나친다.

상현　어이, 이걸로 달래줘.

상현은 딸랑이를 던진다.
남자2, 당황해서 떨어트린다.
딸랑이를 다시 주워서 걸어가는 남자2.
남자2가 아기를 안아 들고 보면, 어제 상현이 들고 있던 인형이다.
울음소리는 녹음테이프에서 나는 소리.
돌아보는 남자2.
하지만 상현은 이미 사라지고 없다.
이 형사도 당황해서 호텔로 향한다.

#121 결번

#122. 윤씨가 묵고 있는 호텔, 앞, 새벽

동수와 해진이 우성을 안고 들어간다.

해진　　다들 어디로 가버린 거야?

동수, 해진에게 웃음을 보인다.

동수　　아니, 그렇지 않아. 우리 모두 같이 있는 거야.

#123. 윤씨가 묵고 있는 호텔, 객실, 새벽

우성을 안고 윤씨 부부 앞에 앉아 있는 동수와 해진.

동수　　괜찮다구요? 만나러 가도?
윤씨　　아이구 제가 어젠 그런 말을 했다고 이 사람한테 엄청 혼났습니다...
윤씨 아내　갑자기 그런 말이나 꺼내고... 애 어머니한테 실례예요.
윤씨　　그러니... 만나고 싶을 땐 연락해도 된다고 친모 분께 전해주십시오.
윤씨 아내　이 아이에겐 아무것도 숨기고 싶지 않아요...
동수　　두 분이라면 키워줘도 좋았겠다는 생각이 드네요...
윤씨 부부　?

그때, 초인종이 울린다.

윤씨　　?

윤씨가 문을 열자, 그 틈으로 경찰 신분증을 보이는 수진과 이 형사.
수진 일행이 방으로 들어온다.

동수　　소영이는?
수진　　자수했어...
동수　　그럼... 역시 당신이랑 형, 같은 생각이었구나?
수진　　뭐?

동수는 우성을 수진에게 넘겨준다.
수진, 아기를 받아 든다.
윤씨 부부가 형사에 의해 연행되고,
동수와 해진은 이 형사가 데려간다.
우성이 품에 작은 편지가 끼워져 있다. 편지를 꺼내는 수진.
'우성아, 태어나줘서 고마워. 문소영'

수진　　우성아...

작은 목소리로 그렇게 불러보는 수진.

이전과는 다르게, 우성이의 묵직함이 느껴진다.

#123A. 광장, 아침

광장에 버려진 인형이 울고 있다.
지나가던 사람들이 그 소리를 듣고 하나둘 모여든다.
사람들이 점점 많아져, 50명 정도의 사람들이 원을 만든다.
그중에서 한 여성이 걸어 나와, 우성이 인형을 안아 들고는,
상현이 두고 간 딸랑이로 인형을 달래준다.
인형인 걸 확인한 사람들은 하나씩 그곳을 떠난다.
뉴스 음성이 선행하며...

#124. 거리의 TV 모니터, 아침

소영이 최 형사에 의해 연행되는 뉴스가 흘러나온다.
인신매매 브로커인 남성이 체포되었다는 뉴스도 흘러나오고 있다.
그 뉴스를 보고 있던 상현, 인파 속에 휩쓸려 사라진다.

- 3년 후 -

#125. 도로, 낮

모여 있는 청소년들에게 말을 걸고 있는 수진.
이 형사가 합류한다.
이 형사를 남겨두고 철수하는 수진.

#126. 해안, 저녁

모래사장에서 선호와 모래성을 만들며 함께 놀고 있는 우성(3세).
수진이 합류한다.

음악 IN.

수진　　(목소리) 문소영 씨, 오랜만이에요. 소영 씨가 형기를 반년 앞당겨 출소했다는 기쁜 소식을 들었어요.

#127. 버스

버스 안, 수진과 우성.

수진　　(목소리)우성이는 건강하게 쑥쑥 잘 크고 있어요.
이번 달 15일, 12시부터 1시간 동안.
작년에 새로 생긴 부산 △△△유원지 입구에서 우성이랑 같이 서 있을게요.

#128 결번

#129. 부산의 유원지, 입구

솜사탕을 손에 들고 서 있는 수진과 우성.
두 사람에게로 윤씨 부부가 다가온다.

수진　　(목소리)동수 씨랑 해진이도 오라고 했어요.
윤 선생님네도 와달라고 했구요.
그 두 분은 심사 기간을 무사히 끝내고 정식으로 우성이를 키우고 싶다고 하세요.

#130. 도로

수진　　(목소리)이번이 어려우면 다음 달 15일에 또 모이도록 할게요.
다 같이 우성이 미래에 대해 의논하면 좋겠어요.

해진이 너덜너덜해진 축구공을 안고,
'부산 **유원지까지'라고 쓰인 간판을 들고는 길가에서 히치하이크 중이다.
보육원 차가 눈앞에서 멈춘다. 탈출은 실패다.
차 뒷좌석 창문으로 먼 곳을 올려다보는 해진.

- 음악 OUT -

#131. 주유소

유리를 닦고, 이마의 땀을 훔치는 소영. 웃는 얼굴로 차를 내보낸다.

#132. 주유소, 탈의실

옷을 갈아입는 소영. 사물함에는 유원지 사진이 붙어 있다.
거울에 비친 자신의 얼굴을 똑바로 쳐다보는 소영.

#133. 길

걸어가는 소영. 관람차를 올려다보고는 뛰어간다.

- 음악, 다시 IN -

#134. 유원지 근처 도로

세탁소 차가 서 있다.
운전석에는 예전에 상현이 입고 있던 셔츠를 입은 동수가 앉아 있다.
룸미러 옆으로 똑같은 단체 사진이 매달려 있다.
직원으로 들어온 영민이 커피를 손에 들고 차로 돌아와서, 조수석에 올라탄다.
백미러로 소영이 뛰어오는 모습을 확인하는 동수.

동수 (소영을 보며) 일찍도 온다...
영민 죄송합니다. 줄이 너무 길어서.
동수 응? 아~ (무슨 말인지 깨닫고) 난 너 또 탈출했나 했지.
영민 해진이가 제 기록 깼잖아요.
동수 진짜? 난 그럼 이제 3등이네.
영민 형님 지금 5등이에요. (커피를 마시며) 좀 분하긴 하다.
동수 어쩌겠냐. (기지개를 켜며) 자~ 그럼.
영민 가게로 돌아가실 거죠?
동수 그래... 그 전에 세차장이나 들르자.
영민 지난주에 했잖아요.
동수 나 깔끔한 사람이야...

차가 출발한다.
부산 거리 속으로 사라져 가는 차.

#135. 유원지, 관람차

수진과 우성이 관람차를 타고 있다.
높이 올라가는 게 무서워서인지 우성은 수진에게 달라붙는다.
수진은 우성을 으~하며 안아 올려, 창문 너머로 펼쳐진 거리를 보여준다.

여기저기 손가락으로 가리키며 설명해주는 수진.
윤 선생님네도 손을 흔들어 주시네. 저기가 우성이 집.
저기는 해진이 형이 사는 보육원.
저쯤에는 동수 씨. 분명 잘 지내고 있을 거야.
상현 씨는 어디쯤 있을까?
그리고 저기 저쪽이 소영 씨가 일하는 주유소...

- 음악 고조되며 -

END

BROKER

성실하고
부지런하며
바르게 행하자

어린이 대축제
신나는
비눗방울
놀이

어린이 대축제
바람개비

자동세차기 출구 OUT
DAIFUKU
magic thru

브로커 각본집

초판 1쇄 발행 | 2022년 11월 18일
펴낸곳 | 플레인아카이브
저자 | 고레에다 히로카즈
펴낸이 | 백준오
편집 | 임유청
교정 | 이보람
지원 | 장지선
디자인 | 이유희 (PYGMALION)
도움주신 분 | 안근우
인쇄 | 다보아이앤씨
출판등록 | 2017년 3월 30일 제406-2017-000039호
주소 | (10881) 경기도 파주시 회동길 336-17, 302
전자우편 | cs@plainarchive.com
18,950원
ISBN 979-11-90738-17-0